Date
P9-CKB-049

Dorothy Bayley.

ANDRÉ DE LORDE ET JEAN MARSÈLE

NAPOLÉONETTE

Pièce en cinq actes et un prologue
(d'après le célèbre roman de GYP)

EDITED BY
ÉDOUARD SONET
University of Alberta
AND
EDWARD F. MEYLAN
University of California

HOUGHTON MIFFLIN COMPANY
BOSTON · NEW YORK · CHICAGO · DALLAS
ATLANTA · SAN FRANCISCO
The Riverside Press Cambridge

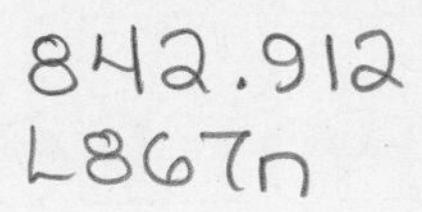

The Riverside Press
CAMBRIDGE · MASSACHUSETTS
PRINTED IN THE U.S.A.

PREFACE

THE eminent critic Edmond Jaloux relates that in a letter written toward the end of his life and published a few years ago, Nietzsche, after expressing his admiration for France, declared that, if a cataclysm wiped this country off the map of Europe, there would be no place where the word *culture* would have any meaning. In this same letter, while discussing modern French novelists, the German philosopher confessed that he was completely enamoured of Gyp.

Gyp is the author of *Napoléonette*, the novel on which the present play is based. The pseudonym "Gyp" conceals a gracious woman, born in 1850, la comtesse de Martel de Janville, the great-granddaughter of the famous Mirabeau, with whom she has in common a lively and biting wit and something of the same rebellious spirit. Anatole France has left us this picture of Gyp: "L'œil est vif, la bouche moqueuse, la physionomie charmante. On devine sous ce portrait que la porteuse de ce joli visage loge, dans sa petite personne, une âme ironique."

In truth, Gyp is full of the spirit of mockery, and in the sixty novels she has published she parades before us a whole gallery of people, whose foibles she has observed and caricatured. These novels, the most famous of which are *Le petit Bob* (1882), *Mademoiselle Loulou* (1888), *Le Mariage de Chiffon* (1894), *Napoléonette* (1918), are at the same time a psychological study and also a satire on society; they give us perhaps the most exact picture that has ever been drawn of the *monde parisien* between the years 1880 and 1900.

If it is the greatest glory of a writer to create a type such as *l'Avare*, *le Père Grandet*, *Pickwick*, the name of Gyp will live in literature as the creator of the type of the mischievous child, *le petit Bob*.

Although Gyp's other characters do not stand out in such clear relief as *le petit Bob*, they are nevertheless endowed with such life that we could well imagine that we had actually met them.

Gyp likes especially to paint for us a picture of the young woman or the girl who is the product of our modern education. Like several of Gyp's heroines, and in spite of the fact that she lived a century ago, Napoléonette is the type of the girl of today: somewhat carelessly brought up, self-willed, but loyal and courageous. Having grown up among men, she has observed and reflected. Under the appearance of doing only what she likes, she has common-sense, sound judgment, a high notion of duty, and she is capable of self-sacrifice.

Most critics agree that Gyp's novels reveal exceptional dramatic possibilities. They show a faculty of acute observation, a biting wit combined with some breadth of humor, and a power, rarely equaled, of animating her dialogues, which are masterpieces of simplicity and naturalness.

M. André de Lorde had hardly finished reading *Napoléonette*, when he became convinced that he had found in that novel the material for a delightful historical comedy. M. de Lorde occupies an important place in the theater of today. Known in Paris as the *Prince de la Peur*, he has published numerous plays, which are collected in four volumes with these significant titles: *Théâtre de la Peur*, *Théâtre de l'Epouvante*, *Théâtre de la Folie*, *Théâtre de la Mort*. In collaboration with M. Jean Marsèle, he published in 1910 a very amusing play, *L'Amour en cage*, which ran for three hundred days at the *Théâtre de l'Athénée*.

It was in 1919 that, in collaboration with the same author, M. de Lorde produced *Napoléonette*. The play was a brilliant success and ran for three consecutive years.

The editors wish to acknowledge their indebtedness to MM. André de Lorde and Jean Marsèle for authorizing a school edition of this play and for allowing minor changes to be made in the text.

E. S.
E. F. M.

FOREWORD TO THE TEACHER

One of the main difficulties of the teacher of French is to find a text which arouses the interest of the young student and, at the same time, does not present too many linguistic difficulties. Experience has shown that the play affords the best means of meeting those two requirements. This explains the popularity of texts such as *Le Voyage de Monsieur Perrichon* and *La Poudre aux Yeux*. Although these plays were first published about a century ago, new editions are still issued by the score. Yet such plays are not only farcical in character, but also lacking in literary and historical value. Teachers have repeatedly expressed to the editors their desire to find a modern play which would interest the student, would have literary qualities as well as an historical background, and the language of which, while idiomatic, would be simple.

It is the editors' hope that *Napoléonette* will supply a long-felt need. The play has a very interesting background and will carry the student to that most dramatic phase of French history, the fall of Napoléon and the return of the Bourbons. It will present also one of the best specimens of the art of conversation, for which the French are famous — an art in which, as practiced by Gyp, wit and humor are happily blended. Finally, *Napoléonette*, besides having a swiftly moving plot and a sparkling dialogue, makes easy reading and contains in its vocabulary hardly any words or idioms which are not in current daily use.

Students will find in this edition, not only a very complete list of notes dealing with all the difficult or idiomatic constructions, but also an applied grammar which gains in interest and concreteness from the fact that it is based entirely on the text.

For each scene of the play the following corresponding exercises will be found:

1. A résumé, written in the simplest possible language, to be used for exercise in reading, dictation, and recitation.
2. A set of questions covering the whole scene which has been studied.
3. An explanation of the most important idiomatic expressions.
4. A grammatical review which comprises various exercises based on the text and dealing with the application of the most important rules of elementary grammar as well as with the most colloquial phrases and idioms of the play.

In addition to these more specific exercises, it will be easy for the teacher to find in the text a number of subjects suitable for descriptive and narrative composition.

The editors have thought it wise to retain a considerable number of picturesque colloquial expressions since they give color and flavor to the play.

A student who has been thoroughly drilled in the exercises mentioned above will have gone a long way toward overcoming the technical difficulties of elementary grammar which face the beginner, and will at the same time have taken the first step in the direction of acquiring conversational fluency in the language.

PERSONNAGES

PERSONNAGES DU PROLOGUE

Le petit LÉO (16 ans)

Le lancier BOUTARD (40 ans)

Le lieutenant de CHALINDREY (30 ans)

Le colonel de SÉRIGNAN, du 2e lanciers

Le maréchal MONCEY

Un aide de camp

(Le prologue se passe dans une clairière du bois de Bossut, pendant la bataille de Waterloo, 18 juin 1815.)

PERSONNAGES DES CINQ ACTES

NAPOLÉONETTE DE SÉRIGNAN (18 ans)

La marquise de SÉRIGNAN, sa tante

La comtesse du CAYLA

HÉLÈNE DE CHÉNEÇAY, demoiselle d'honneur de la duchesse d'Angoulême

Mlle de la ROQUE D'OLME, demoiselle d'honneur de la duchesse d'Angoulême

Mlle de JEUMONT, demoiselle d'honneur de la duchesse d'Angoulême

Madame de RÉMUSAT

Une camériste de madame du CAYLA

Trois demoiselles d'honneur

Le Roi Louis XVIII

Boutard

Le marquis de Sérignan, grand maître du palais, oncle de napoléonette (55 ans)

Jean de Chalindrey, lieutenant dans la Garde Royale

Roger de Sérignan, lieutenant dans la Garde Royale, cousin de Napoléonette (25 ans)

Le comte Decaze, ministre de la police (35 ans)

Le chevalier Giacomi

Sosthène de la Rochefoucauld

Le vicomte de Maubreuil

Le baron de Vitrolles

Le duc d'Agay

Deux policiers

M. de Saint-Agnan, personnage muet, pianiste ac compagnateur)

NAPOLÉONETTE

PROLOGUE

(*Une clairière dans le bois de Bossut* (*champ de bataille de Waterloo*).[1] *À gauche, premier plan, une cabane de paysan, dont on voit l'entrée. À gauche, au fond, un petit tertre de gazon. À droite et à gauche, la forêt. Au fond, une éclaircie par laquelle on aperçoit la plaine.*

La nuit tombe lentement pendant tout ce tableau.)

SCÈNE I

LE MARÉCHAL MONCEY, UN AIDE DE CAMP, *puis* BOUTARD

(*Au lever du rideau, quelques coups de canon lointains. Le maréchal* MONCEY *débouche d'un sentier à droite, suivi d'un aide de camp.*)

MONCEY.[2] Est-ce ici?... Oui. (*S'orientant un peu.*)... La route doit-être là-bas... nous y sommes.[3] (*À l'aide de camp.*) Capitaine, donnez l'ordre d'attacher nos chevaux au rond-point.

(*L'aide de camp s'éloigne.* MONCEY *s'assied sur un tronc d'arbre, déplie une carte et étudie un moment. L'aide de camp revient.*)

NOTE: In the following notes, the explanations of proper nouns, idioms, or difficult constructions have been given in very simple French whenever possible, and in English also when necessary. Familiar expressions have been marked (F) and a very few popular expressions marked (P).

[1] WATERLOO: petit village situé à environ 15 kilomètres au sud de Bruxelles. C'est autour de ce village que le 18 juin 1815 les troupes du duc de Wellington, aidées par les troupes de Blücher, infligèrent à l'armée française une défaite décisive qui mit fin à la carrière météorique de Napoléon.

[2] MONCEY: Adrien Jeannot de Moncey, duc de Conegliano, né en 1754 et mort en 1842, était un des maréchaux de Napoléon qui se distingua dans les campagnes d'Italie et d'Espagne.

[3] *Nous y sommes:* nous y voilà, here we are.

L'AIDE DE CAMP. C'est fait, monsieur le maréchal.

MONCEY (*indiquant le fond*). Vous voyez la route, là, tout près. C'est par là que doit passer la division Gérard,[1] à laquelle l'Empereur a envoyé l'ordre de se porter aux Quatre-Bras.[2]

L'AIDE DE CAMP (*regardant*). Il passe des troupes,[3] là-bas, très loin . . . C'est peut-être elle.[4]

MONCEY (*brutalement*). Non! Ce sont des fuyards que vous voyez.

L'AIDE DE CAMP (*très ému*). C'est donc une retraite, monsieur le maréchal?

MONCEY. C'est pis . . . une déroute . . . étrange pays! . . . Faut-il avoir conquis [5] l'Europe entière, chevauché jusqu'au fond de la Russie, pour venir échouer [6] ici dans ces plaines de Belgique, autour de ce petit village de Waterloo!

L'AIDE DE CAMP. Mais tout n'est pas encore perdu, monsieur le maréchal?

MONCEY. Voyez-vous, capitaine, la fatalité s'acharne contre l'Empereur!

(*Le canon recommence à tonner. Le maréchal monte sur un talus et regarde avec sa lorgnette. L'aide de camp va examiner vers la droite; il rencontre* BOUTARD, *qui arrive précipitamment.*)

[1] GÉRARD: Étienne Maurice Gérard, maréchal de France qui se distingua à la bataille de Ligny (1815) puis à la prise d'Anvers (1832) dont il força la capitulation.

[2] QUATRE-BRAS: un petit hameau situé au croisement de deux grandes routes à 35 kilomètres au sud-est de Bruxelles; c'est là que, deux jours avant Waterloo, le maréchal Ney essaya sans succès de refouler les troupes alliées placées sous le commandement de Wellington.

[3] *Il passe des troupes:* des troupes passent. La forme impersonnelle est plus emphatique.

[4] *Elle:* la division Gérard.

[5] *Faut-il avoir conquis:* pourquoi avoir conquis? à quoi sert d'avoir conquis? what is the use of having conquered?

[6] *Pour venir échouer:* to come and be stranded.

BOUTARD (*uniforme des lanciers de la Garde*). Mon capitaine, est-ce qu'il y a ici un abri pour un officier blessé?

L'AIDE DE CAMP. Oui, là, tenez,[1] cette cabane...

BOUTARD. Merci, mon capitaine.[2] (*Apercevant* MONCEY.) Quel est l'officier qui est là?

L'AIDE DE CAMP. Le maréchal Moncey.

BOUTARD (*avec joie*). Ah! il va pouvoir nous dire où est l'Empereur! (*Il marche rapidement vers le maréchal. L'aide de camp s'éloigne en continuant d'examiner le terrain.*) Monsieur le maréchal?

MONCEY. Qu'est-ce que c'est?

BOUTARD (*saluant*). Lancier Boutard, du deuxième régiment de la Garde. C'est au sujet de mon colonel, le colonel de Sérignan, qu'on transporte...

MONCEY (*vivement*). Sérignan! Il est blessé?

BOUTARD. Très grièvement, monsieur le maréchal. Je peux l'amener ici?

MONCEY. Certes... Faut-il qu'on vous aide?

BOUTARD. Non, non, monsieur le maréchal... J'ai avec moi un lieutenant de chasseurs qui m'a aidé à le ramener, avec le fils du colonel.

MONCEY. Le petit Léo?

BOUTARD. Oui, monsieur le maréchal. Alors... je vais les chercher?

MONCEY. Allez! (BOUTARD *sort.* MONCEY *réfléchit un instant, en grognant entre ses dents.*) Sale bataille!... Personne n'en reviendra [3]... Sérignan, encore un brave de moins! [4]

[1] *Tenez:* here! see! you see!

[2] *Mon capitaine:* lorsqu'un soldat ou un officier s'adresse à un officier, d'un grade supérieur, le grade doit toujours être précédé de *mon.* Ex.: Oui, mon capitaine; non, mon colonel. Une seule exception à cette règle: monsieur le maréchal.

[3] *Personne n'en reviendra:* nobody will come back from it (survive the battle).

[4] *Encore un brave de moins:* encore un brave soldat qui disparaît, again one brave soldier less.

SCÈNE II

Les mêmes, LE COLONEL DE SÉRIGNAN, LÉO, CHALINDREY

(CHALINDREY *et* BOUTARD *entrent à droite, soutenant le colonel, et le font asseoir sur le tronc d'arbre.* LÉO *court à* MONCEY *et s'adresse vivement à lui.*)

LÉO. Monsieur le maréchal! Ah! que je suis content de vous trouver! Mon pauvre papa est bien malade!

LE COLONEL (*s'asseyant*). Mais non, mon petit,[1] mais non.

MONCEY (*courant à lui*). Vous êtes grièvement blessé, mon cher Sérignan?

LE COLONEL. Non, rien de grave, je vous assure, monsieur le maréchal... Deux ou trois coups de sabre... J'en ai vu d'autres![2]... Et, grâce au lieutenant (*il montre* CHALINDREY), ça n'a pas été trop sérieux.

CHALINDREY (*saluant*). Le colonel exagère, monsieur le maréchal.

LE COLONEL. Allons, lieutenant, pas de modestie;[3] sans vous, j'étais haché,[4] tout simplement.

LÉO (*se pressant contre son père*). Oh! c'est horrible!

LE COLONEL. Oui, oui... tu peux le remercier.

LÉO. Mon lieutenant, laissez-moi vous embrasser. C'est à la vie, à la mort, nous deux maintenant.[5]

CHALINDREY. Bien volontiers!

(LÉO *l'embrasse, puis défaille.* CHALINDREY *le soutient dans ses bras.*)

MONCEY. Qu'est-ce qu'il a, cet enfant?

[1] *Mon petit:* a term of endearment: "my dear, my little one."

[2] *J'en ai vu d'autres:* j'ai vu pire que cela, I have seen worse things than that.

[3] *Pas de modestie:* ne soyez pas si modeste, don't be so modest.

[4] *J'étais haché:* j'aurais été haché. Le plus-que-parfait est employé quelquefois au lieu du conditionnel passé pour donner plus de relief à l'action.

[5] *C'est à la vie, à la mort, nous deux maintenant:* now, in life and death, we are sworn friends, the two of us.

BOUTARD (*s'avançant*). Il se trouve mal,[1] parbleu! Il n'en peut plus [2]... Pas dormi ni cessé de marcher depuis vingt-quatre heures!

LE COLONEL. Pauvre petit Léo! (*Il se redresse un peu et pose un baiser sur son front.*) Prends-le, Boutard! Il va dormir... Veille sur lui, il faut qu'il se repose.

BOUTARD (*enlevant* LÉO *dans ses bras*). Soyez tranquille,[3] mon Colonel. Je vais l'installer sur la mousse.

(*Il l'emporte au fond de la scène, l'installe sur un petit tertre, au fond et à gauche, et s'assied près de lui en le surveillant comme une nourrice.*)

MONCEY (*à* CHALINDREY). Lieutenant, vous allez trouver l'Empereur qui est à la lisière du bois, là-bas à gauche... Vous n'avez jamais parlé à l'Empereur, lieutenant?

CHALINDREY. Non, monsieur le maréchal.

MONCEY. Lieutenant... comment? [4]

CHALINDREY. Lieutenant de Chalindrey, du troisième chasseur.

MONCEY. Vous dites?... de Chalindrey?

CHALINDREY. Oui, monsieur le maréchal: vicomte Jean de Chalindrey.

MONCEY. Depuis quand êtes-vous au service de l'Empereur?

CHALINDREY. Je me suis engagé au moment de la campagne de Russie.

MONCEY. Et vous avez fait la campagne?

CHALINDREY. Oui, monsieur le maréchal.

MONCEY. Et vous n'avez pas encore la croix? [5]

CHALINDREY. Je l'ai refusée... (*Fièrement.*) Je suis royaliste, monsieur le maréchal.

MONCEY. Puisque vous n'aimez pas l'Empereur, pourquoi l'avez-vous servi?

[1] *Il se trouve mal:* he is ill.
[2] *Il n'en peut plus:* il est épuisé, he is exhausted.
[3] *Soyez tranquille:* ne vous inquiétez pas, don't worry.
[4] *Lieutenant... comment?* lieutenant... who?
[5] *La croix:* la croix de la Légion d'Honneur.

CHALINDREY (*souriant légèrement*). Parce que je suis Français, monsieur le maréchal.

MONCEY. C'est bien. (*Un temps.*) Allez donc trouver l'Empereur, et dites-lui que son vieil ami, le colonel de Sérignan, vient [1] d'être blessé.

LE COLONEL (*tranquillement*). Ajoutez même: [2] blessé à mort!

CHALINDREY (*sursautant*). Mon colonel!

LE COLONEL. Oui ... Je sais ce que je dis. Je m'en vais tout doucement, sans souffrance, mais je m'en vais ... [3] (*Montrant* BOUTARD.) Lieutenant, emmenez aussi ce brave homme, l'Empereur sait à quel point [4] il m'est attaché, et il aura certainement quelque instruction à lui donner ... pour plus tard.

BOUTARD (*s'approchant et retenant ses larmes*). Mais je ne veux pas vous quitter, mon colonel!

LE COLONEL. Lancier Boutard, tu n'es qu'une poule mouillée! [5] ... Et puis, veux-tu bien prendre [6] tout de suite une attitude militaire!

BOUTARD (*se redressant*). Oui, mon colonel.

LE COLONEL. À la bonne heure! [7] Et maintenant, va, mon garçon! Va!

(CHALINDREY *sort à droite*, BOUTARD *le suit*, *en étouffant un juron d'émotion.*)

[1] *Vient de:* has just.
[2] *Ajoutez même:* you can even say.
[3] *Je m'en vais:* je meurs, I am going away, I am dying.
[4] *À quel point:* to what extent.
[5] *Poule mouillée* (F): softy, milksop.
[6] *Veux-tu bien prendre:* cette expression a la force d'un impératif; "do take."
[7] *À la bonne heure!* Good! Good for you! Right!

SCÈNE III

LE COLONEL, MONCEY, LÉO, *endormi au fond*, *puis* CHALINDREY

MONCEY (*bouleversé*). Colonel, vous parlez de votre mort avec un sang-froid...

LE COLONEL. Et vous seriez comme moi, monsieur le maréchal. Le jour où nous avons embrassé la carrière des armes,[1] nous avons fait entrer la mort dans nos prévisions quotidiennes. La voici. Je la salue et je pars.

MONCEY. Sans un regret?

LE COLONEL. Sans un regret?... Si! L'enfant que je laisse seul.

MONCEY (*vivement*). Ah! pour cela, colonel, soyez tranquille![2] Le petit Léo a sa carrière toute tracée. Voilà dix ans que cet enfant vous suit à la guerre. Nous l'aimons tous, et je vous donne ma parole qu'on en fera un brave petit soldat, en attendant[3] qu'il devienne un bel officier.

LE COLONEL. C'est impossible, monsieur le maréchal!

MONCEY. Pourquoi?

LE COLONEL. Parce que le petit Léo... est une fille!

MONCEY (*stupéfait*). Comment?

LE COLONEL. Léo n'est autre que mademoiselle Napoléonette, la filleule du premier Consul et de madame Bonaparte...[4]

MONCEY. C'est inconcevable! Mais personne ne sait cela!

LE COLONEL. Personne, sauf l'Empereur et mon vieux Boutard.

MONCEY. Une fille... Diable! diable![5]

LE COLONEL. Mais je suis tranquille sur son compte:[6] son parrain, qui l'adore, la gardera près de lui.

[1] *Embrassé la carrière des armes:* chosen to follow the profession of a soldier.

[2] *Soyez tranquille:* voyez la note 3, page 5.

[3] *En attendant que:* until.

[4] MADAME BONAPARTE: devint l'impératrice Joséphine le 2 Décembre 1804.

[5] *Diable! diable!:* Well! Well!

[6] *Je suis tranquille sur son compte:* je suis sans inquiétude à son sujet, I do not worry about her.

MONCEY. Oui . . . mais, l'Empereur . . . (*Il s'arrête.*)

LE COLONEL (*un peu sombre*). Oui, je comprends . . . les événements peuvent mal tourner,[1] et alors . . .

MONCEY. Mais n'avez-vous pas un frère?

LE COLONEL. Oui, auprès du roi détrôné, Louis XVIII.[2]

MONCEY. Ne recueillerait-il pas votre fille?

LE COLONEL. Sûrement . . . d'autant plus que je lui laisse quelque fortune. Et mon frère et ma belle-sœur connaissent mieux que personne la valeur de l'argent . . . (*Voyant* CHALINDREY.) Ah! voilà le lieutenant qui revient!

CHALINDREY (*s'avançant à droite*). L'Empereur m'a chargé de remettre ce pli au maréchal Moncey.

LE COLONEL (*pendant que* MONCEY *ouvre le pli*). Où en est la bataille,[3] lieutenant?

CHALINDREY. Rien de décisif. . . . L'ennemi amène toute son artillerie . . . L'Empereur a l'air soucieux.[4]

MONCEY (*après avoir lu le pli*). Lieutenant, voulez-vous aller chercher mon aide de camp, sur la route, là-bas, et lui dire de faire préparer les chevaux. (CHALINDREY *s'éloigne un moment. Au colonel.*) L'Empereur me donne l'ordre de le rejoindre avec tout mon état-major.

LE COLONEL. Je vous dis donc adieu, monsieur le maréchal . . .

MONCEY (*rectifiant affectueusement*). Au revoir!

LE COLONEL (*hochant la tête*). Si, si, adieu.

CHALINDREY (*revenant*). Tout est prêt, monsieur le maréchal.

[1] *Peuvent mal tourner:* may take a bad turn.

[2] LOUIS XVIII: Louis XVIII (1755–1824) était le frère de Louis XVI, lequel fut décapité pendant la Révolution. Il émigra en 1791, puis monta sur le trône à la chute de Napoléon. Pendant la période des Cent-Jours il vécut en Belgique, et reprit le pouvoir après la bataille de Waterloo. Lourd et impotent, Louis XVIII avait cependant beaucoup d'esprit et des tendances libérales; malheureusement, les Ultra-Royalistes l'empêchèrent d'accepter les réformes accomplies par la Révolution et il fut contraint de prendre des mesures réactionnaires qui rendirent les Bourbons fort impopulaires.

[3] *Où en est la bataille?:* how is the battle progressing?

[4] *A l'air soucieux:* looks worried.

LE COLONEL (*à* CHALINDREY). Et vous aussi, mon jeune ami, adieu!

MONCEY. Non. Le lieutenant reste avec vous. Ordre de l'Empereur, qui vous retrouvera ici tout à l'heure.

LE COLONEL (*avec mélancolie*). Qui me retrouvera!... (*Ils se serrent la main et* MONCEY *s'éloigne. À* CHALINDREY.) Regardez donc, mon ami, s'il n'y aurait pas un endroit pour m'étendre, à l'abri ... Je me sens plus faible, plus fatigué ...

CHALINDREY (*ouvrant la porte de la cabane*). Mais, tenez,[1] mon colonel, dans cette cabane: vous serez mieux là, étendu sur la paille.

LE COLONEL. Oui ... Ce sera très bien. Donnez-moi le bras, voulez-vous? (*Il s'en va, péniblement, s'accrochant au cou de* CHALINDREY. *En passant, il aperçoit* LÉO *endormi, au fond gauche, et le regarde avec tendresse.*) Pauvre petit!

(*Il entre dans la cabane avec* CHALINDREY.)

SCÈNE IV

LÉO, *puis* CHALINDREY

(*Un temps ... Puis le canon reprend plus près.* LÉO *s'agite, ouvre les yeux, et se redresse à moitié.*) [2]

LÉO. Le canon!... Encore!... Je croyais rêver[3]... C'est vrai, c'est le canon. (*Il regarde de tous les côtés.*) Comment? plus personne![4] on m'a laissé seul!... Et papa, qu'est-il devenu? (*Avec angoisse.*) Ah! mon Dieu! (*Appelant.*) Papa! (*Il se lève.*)

CHALINDREY. Pas de bruit! le colonel est là. (*Il montre la cabane.*) Il dort tranquillement.

LÉO. Vraiment?... Boutard est auprès de lui?

[1] *Tenez:* voyez la note 1, page 3.
[2] *Se redresse à moitié:* half rises.
[3] *Je croyais rêver:* je pensais que je rêvais.
[4] *Plus personne:* il n'y a plus personne, there is nobody left.

CHALINDREY. Non... il est auprès de l'Empereur... il va revenir.

LÉO. Il est loin, l'Empereur?

CHALINDREY. À un quart de lieue d'ici. Il faut attendre ses ordres. Assieds-toi là et reste en repos.

LÉO (*s'asseyant à droite sur un tronc d'arbre*). Oh! je suis bien reposé, maintenant. Vous savez, mon lieutenant, je suis fort pour mon âge.

CHALINDREY (*souriant*). Un grand âge, sans doute?...

LÉO. Seize ans dans deux mois... le 15 août!

CHALINDREY. Le 15 août!... Tu es né le même jour que l'Empereur!

LÉO. Justement... Papa était si content de ça! Pauvre papa! vous ne croyez pas qu'il est très, très malade?

CHALINDREY (*détournant la conversation*). Mais non, mais non! Est-ce qu'il y a longtemps que tu suis ton père aux armées?

LÉO. Presque dix ans... depuis que maman est morte. Quand j'étais tout petit, on me mettait dans la voiture de la cantinière... à douze ans, on m'a mis à cheval. Boutard s'occupait de moi. Mais je marche bien aussi à pied, mon lieutenant. (LÉO *fait un mouvement et tâte sa jambe droite.*) Pas aujourd'hui, par exemple![1]... Ainsi,[2] quand nous sommes revenus de l'île d'Elbe,[3] j'ai marché tout le temps avec les soldats... On en a fait du chemin![4] Mais c'était beau!... (CHALINDREY *hausse les épaules sans répondre et s'éloigne.*) Ah! je vois bien que vous n'aimez pas l'Empereur!

[1] *Pas aujourd'hui, par exemple:* but certainly not today.

[2] *Ainsi: par exemple*, for instance.

[3] L'ÎLE D'ELBE est située dans la Méditerranée à l'est de la Corse. Le 4 mai 1814, Napoléon y fut relégué et il y exerça sa souveraineté jusqu'au 26 février 1815, date de son retour en France.

[4] *On en a fait du chemin!:* le pronom pléonastique *en* est employé ici pour accentuer (emphasize) le mot chemin: "What a distance we have covered!" Comparez avec les phrases suivantes: Il en a de l'aplomb (nerve)! Il en a fait du bruit! Elle en a de la patience!

CHALINDREY (*se retournant*). Non, je ne l'aime pas.

LÉO (*avec vivacité*). Alors, qu'est-ce que vous faites ici? Pourquoi n'êtes-vous pas là-bas, avec l'autre? [1]

CHALINDREY. Parce que, mon petit, je suis Français... et, quand je vois des étrangers, des kaiserliks, des Prussiens, qui nous menacent d'entrer chez nous,[2] je suis avec ceux qui défendent leur pays.

LÉO. Bravo!... (*Il se met debout et pousse un petit cri de douleur.*) Aïe!

CHALINDREY. Qu'est-ce que tu as? [3] Tu souffres?

LÉO. Pourquoi donc, mon lieutenant?

CHALINDREY. Tu as fait une grimace...

LÉO (*en se rasseyant*). C'est mon genou qui me fait un peu mal... J'ai été blessé.

CHALINDREY. Quand ça? [4]

LÉO. À Ligny.[5]

CHALINDREY. Voyons cette blessure?

LÉO. Ce n'est rien...

CHALINDREY. Montre tout de même.

LÉO. Il va falloir ôter ma botte et défaire mon pansement! ça va être le diable et son train.[6]

CHALINDREY. Allons, allons! Voyons.[7]

(*Il s'agenouille devant l'enfant et commence à lui tirer sa botte.*)

LÉO (*protestant*). Oh! mon lieutenant, vous!...

[1] *L'autre:* le roi Louis XVIII.

[2] *Chez nous:* dans notre pays.

[3] *Qu'est-ce que tu as?:* Qu'as-tu?, what is the matter with you?

[4] *Quand ça?:* when? Dans les expressions: quand ça? qui ça? comment ça? etc., *ça* est purement explétif; *ça* gives more "body" to the question.

[5] LIGNY: un village de la province de Namur situé à 41 kilomètres au sud-ouest de Bruxelles; c'est là que deux jours avant Waterloo, Napoléon battit l'armée prussienne qui était commandée par Blücher.

[6] *Le diable et son train:* (F) the deuce of a fuss.

[7] *Allons, allons! Voyons:* come! now let us see.

CHALINDREY. Laisse-moi faire... allons, baisse ton pied... Bon!... résiste, maintenant.

LÉO. Ça y est![1] (CHALINDREY *retire la botte.*) Ouf! Comme c'était gonflé là-dedans!

CHALINDREY (*retirant une poignée de foin qui était sur la plaie.*) C'est ça que tu appelles un pansement?

LÉO. Je me suis arrangé comme j'ai pu.

CHALINDREY (*examinant*). Un beau coup de sabre, ma foi!... Tu dois souffrir beaucoup, mon pauvre garçon.

LÉO. Eh bien, vous savez... ça picote![2]

CHALINDREY (*pendant ce qui suit, déchire un mouchoir et l'arrange en bandes autour de la jambe de* LÉO). Et tu as marché des heures sans rien dire! Je ne me suis même pas aperçu que tu boitais! J'étais si occupé du colonel!...

LÉO. Moi aussi, je ne m'occupais que de lui.

CHALINDREY. Ne bouge donc pas! Comment veux-tu que je t'arrange?... (*Un petit silence.*) Mâtin![3] tu as la peau fine, mon petit! Une vraie jambe de femme!... (LÉO, *très gêné, tourne la tête.*) Tu peux remettre ta botte, maintenant. (LÉO *remet sa botte.*) La blessure est profonde; la lame est entrée là-dedans comme dans du beurre! Tu n'as pas encore la peau tannée du grognard, mon garçon!

LÉO (*retenant un petit sourire*). Ça viendra, mon lieutenant! Sûrement!... (*Il se lève et fait quelques pas.*) Merci, merci beaucoup... (*Brusquement.*) Quel malheur,[4] mon lieutenant, que vous n'aimiez pas l'Empereur! Moi, je l'aime beaucoup.

CHALINDREY. Tu fais bien.

LÉO. Si je n'avais plus mon parrain Napoléon, je ne voudrais plus rester dans l'armée.

[1] *Ça y est:* at last the boot is off, it is done!

[2] *Ça picote* (P): it is tickling a bit.

[3] *Mâtin!:* by Jove!

[4] *Quel malheur!:* quel dommage! what a pity!

CHALINDREY. Tu aurais tort, mon petit! Il n'y a plus, une fois qu'on est dans le rang, ni royalistes, ni impérialistes, ni républicains, il n'y a que des soldats qui font leur devoir.

LÉO. Ah! mon lieutenant ... (*Un petit silence.*) Est-ce que je peux vous dire quelque chose, mon lieutenant?

CHALINDREY. Dis!

LÉO. Ça ne vous fâchera pas? ... J'ai peur ... parce que, de la part d'un gamin comme moi, ce n'est peut-être pas assez respectueux ...

CHALINDREY. Dis-le tout de même.

LÉO. Eh bien ... c'est ... c'est que vous êtes un chic garçon [1] et que vous me plaisez, mon lieutenant.

CHALINDREY (*riant*). Toi aussi, mon petit,[2] tu me plais.

LA VOIX DU COLONEL (*dans la cabane*). Léo! Léo! (LÉO *lève la tête.*) Léo!

LÉO. C'est papa! ... Il m'appelle ...

CHALINDREY (*écoutant*). Es-tu bien sûr?

LA VOIX DU COLONEL (*plus forte*). Léo! Léo!

LÉO. Oui, oui, c'est lui ... mon Dieu! ...

(*Il court à la cabane et disparaît.*)

SCÈNE V

CHALINDREY, BOUTARD, *puis* LÉO, *puis* MONCEY, UN AIDE DE CAMP, *plusieurs officiers*.

(CHALINDREY *va suivre* LÉO, *lorsque* BOUTARD *arrive en courant.*)

BOUTARD. Mon lieutenant!

CHALINDREY. Qu'y a-t-il? [3]

BOUTARD. L'ennemi occupe les Quatre-Bras!

[1] *Un chic garçon* (F): a fine fellow.

[2] *Mon petit:* voyez la note 1, page 4.

[3] *Qu'y a-t-il?:* que se passe-t-il? what is happening?

CHALINDREY. Mille diables! [1]

BOUTARD. L'Empereur a donné l'ordre de battre en retraite.

CHALINDREY. S'il en est temps encore [2]...

BOUTARD. Il faut emporter le colonel, afin qu'il ne tombe pas entre les mains de l'ennemi.

LÈO (*apparaissant sur le seuil de la porte, très ému*). Mon lieutenant!... (*Apercevant* BOUTARD.) Ah! Boutard! Venez vite, tous!... Papa ne bouge plus...

BOUTARD (*se précipitant*). Nom de tonnerre!

(*Il entre dans la cabane avec* LÉO *suivi de* CHALINDREY. *Au même moment*, MONCEY, *un aide de camp*, *et quelques officiers arrivent précipitamment.*)

MONCEY. Vite! vite! Mettez le colonel de Sérignan sur un brancard et portez-le jusqu'aux voitures.

UN AIDE DE CAMP. Plus de temps [3] à perdre!

MONCEY. La cavalerie ennemie est sur nos pas... Dépêchez-vous!

CHALINDREY (*sortant de la cabane*). C'est trop tard, monsieur le maréchal.

MONCEY (*ému*). Ah?...

CHALINDREY (*avec un geste affirmatif*). Oui... tout est fini.

(MONCEY *s'avance vers la cabane et se découvre. Tous les militaires saluent.*)

MONCEY (*d'une voix émue*). Adieu, Sérignan! Adieu, mon vieux compagnon d'armes. (*On entend en même temps, dans la cabane, les sanglots de* LÉO.) Pauvre enfant!... (*Se couvrant.*) Maintenant, messieurs, rejoignons l'Empereur et essayons de mourir. En avant!

(*Le bruit de la bataille augmente.* BOUTARD *entraîne* LÉO *qui résiste en pleurant.*)

LÉO (*sur le seuil de la cabane*). Oh! papa... papa!...

[1] *Mille diables!:* by thunder! blast them!

[2] *S'il en est temps encore:* s'il n'est pas déjà trop tard, if there is still time for it.

[3] *Plus de temps:* il n'y a plus de temps.

BOUTARD (*l'entourant de ses bras et l'éloignant de la cabane*). Allons, viens, mon petit!... Viens!...

(*Le rideau baisse pendant que les officiers s'éloignent rapidement, et que le brave lancier entraîne de force l'enfant en larmes, au milieu du tumulte des clairons, des tambours qui battent la charge, et du canon dont le grondement se rapproche.*)

RIDEAU

ACTE PREMIER

(*Une galerie aux Tuileries,*[1] *en mai* 1817. *Boiseries peintes en blanc. Grande porte à deux battants au fond. Au fond, à droite, en pan coupé, une fenêtre profonde avec rideaux. Deux portes, à droite et à gauche, au premier plan; la porte de droite est ouverte sur un salon; à droite, une table portant une lampe non allumée; fauteuil et chaise. À gauche, un canapé.*)

Scène I

Hélène, Roger de Sérignan

(Roger *traverse la galerie; il porte l'uniforme des officiers de la maison du roi.* Hélène *arrive à gauche.* Roger *a un petit mouvement*[2] *de satisfaction et salue.* Hélène, *en passant devant lui, fait une révérence et passe rapidement.*)

ROGER. Vous ne voulez pas me dire bonjour, mademoiselle de Chéneçay?

HÉLÈNE (*très intimidée*). Je vous demande pardon... Je croyais qu'on ne parlait pas aux officiers quand ils étaient de service...

ROGER. Je ne suis plus de service, mademoiselle; il est cinq heures et quart.

HÉLÈNE. Mais, moi, je suis encore de service auprès de madame la duchesse d'Angoulême.

ROGER (*souriant*). Allons... n'exagérez pas!... Les demoiselles d'honneur ne sont point soumises à notre discipline, et la cour du roi Louis XVIII n'est pas, que je sache,[3] une caserne, ni un couvent.

[1] Les Tuileries: ancienne résidence royale et impériale située à Paris entre le Louvre et les Champs-Élysées. Ce palais fut incendié pendant la Commune en 1871.

[2] *Roger a un petit mouvement:* Roger fait un petit mouvement.

[3] *Que je sache:* that I know.

HÉLÈNE (*secouant la tête*). Ma foi...

ROGER. On ne s'y amuse guère, voulez-vous dire?

HÉLÈNE. Avouez vous-même que ce n'est pas très gai.

ROGER (*vivement*). Oh! j'avoue: un roi toujours impotent, des gentilshommes qui se regardent de travers,[1] des dames guindées... des gens aigris par l'émigration;[2] la jeunesse qui cherche son grand homme et qui ne trouve que des turbulents et des incapables....

HÉLÈNE (*souriant*). Vous ne flattez pas le régime actuel.

ROGER. Je me contente de le servir... Voyons, mademoiselle, est-ce qu'on rit, quelquefois, ici?

HÉLÈNE. Rarement.

ROGER. Vous voulez dire jamais. La cour de notre vieux roi est glacée par deux spectres: celui de l'Empereur...

HÉLÈNE. Chut!... chut!

ROGER. Oui: de Buonaparte,[3] comme on dit maintenant... et celui de la réaction, symbolisé par "Monsieur"[4]... Oh! un tout petit spectre à côté de l'autre, du grand!

HÉLÈNE. Oh! monsieur de Sérignan, vous n'allez pas vous déclarer bonapartiste, vous, le fils du marquis de Sérignan, grand maître du palais?

ROGER (*riant*). Non, ce serait une trahison dont je suis incapable... Mais, que voulez-vous,[5] mademoiselle, mon père et ma mère incarnent merveilleusement ce régime d'ennui.

[1] *Se regardent de travers:* glare at one another.

[2] *Aigris par l'émigration:* literally, made sour: "embittered by the emigration."

[3] BUONAPARTE: jusque vers l'année 1796, Napoléon épela son nom "Buonaparte"; après cette date "Bonaparte," mot à consonance plus française, fut généralement employé. Cependant les ennemis de Napoléon, les royalistes surtout, par mépris affectèrent toujours de l'appeler "Buonaparte" pour rappeler ainsi ses origines étrangères.

[4] MONSIEUR: le terme "Monsieur" était autrefois un titre donné au frère aîné du roi de France. Dans *Napoléonette* "Monsieur" désigne le frère aîné de Louis XVIII, comte d'Artois, connu plus tard sous le nom de Charles X. (Voyez *Charleroi*, la note 7, page 46.)

[5] *Que voulez-vous?:* don't you see?

HÉLÈNE (*respectueuse*). Ils suivent l'exemple de toute la cour.

ROGER. Dites plutôt qu'ils le précèdent... Ah! notre intérieur serait intenable, s'il n'y avait pas la petite cousine!

HÉLÈNE (*vivement*). Napoléonette?

ROGER. Celle-là, elle a de la gaieté et du mouvement pour dix! [1]... Et mes parents, qu'elle exaspère, la tolèrent néanmoins, parce qu'elle est riche à millions.[2] (HÉLÈNE *passe devant lui, l'air gêné.*) Où allez-vous, mademoiselle?

HÉLÈNE (*après un peu d'hésitation*). Monsieur de Sérignan?

ROGER. Mademoiselle?

HÉLÈNE. Vous allez me trouver... bien indiscrète... Est-ce vrai, ce bruit qui court [3] que vous allez épouser votre cousine?

ROGER (*vivement*). Pouvez-vous croire une chose pareille?

HÉLÈNE. Tout le monde dit que vos parents le désirent.

ROGER. Mes parents le désirent, je ne dis pas non.[4] Mais ils n'oublient qu'une chose, c'est de me consulter.

HÉLÈNE (*un peu émue*). Vraiment, vous ne désirez pas ce mariage?

ROGER (*très nettement*). Mademoiselle, on n'épouse pas une jeune fille lorsque c'est d'une autre que l'on a le cœur rempli...

HÉLÈNE. Vous en aimez une autre?

ROGER (*la regardant bien en face*). Oui, mademoiselle, et je voudrais tant le lui dire... si j'osais!

HÉLÈNE (*rougissant et balbutiant*). Vous n'osez pas?... je... je crois que je la connais... un peu.

ROGER (*lui prenant la main*). Vous la connaissez beaucoup.

HÉLÈNE. Une demoiselle d'honneur, n'est-ce pas?

ROGER. Puisque vous la connaissez, mademoiselle, parlez-lui

[1] *Elle a de la gaieté et du mouvement pour dix:* she has gayety and life enough for ten.

[2] *Riche à millions:* a plusieurs millions, has several millions.

[3] *Ce bruit qui court:* this rumor which is circulating, going about.

[4] *Je ne dis pas non:* I don't deny it.

de ma part, voulez-vous?... Dites-lui qu'un jeune officier l'a remarquée depuis longtemps... qu'il l'aime de toute son âme... et qu'il ne fait qu'un rêve,[1] c'est de l'avoir pour sa femme. Dites-lui que s'il n'est pas riche...

HÉLÈNE (*vivement*). Ah! cela lui sera bien égal![2]

ROGER (*continuant*). Il est du moins plein d'ardeur, et capable de tout faire pour l'obtenir!

HÉLÈNE. Je lui dirai tout cela, monsieur Roger... et certainement, elle y sera très sensible... oui, j'en suis sûre, très sensible.[3] (ROGER *lui baise la main. Le marquis et la marquise de* SÉRIGNAN *apparaissent à droite.*) Oh! vos parents!

(*Elle retire sa main, effrayée, et s'enfuit rapidement.*)

SCÈNE II

ROGER, LE MARQUIS *et* LA MARQUISE DE SÉRIGNAN

LA MARQUISE (*d'un air pincé*). Ah! ah! Nous faisons fuir, à ce qu'il paraît,[4] mademoiselle de Chéneçay!

ROGER (*un peu embarrassé*). Mademoiselle de Chéneçay ne fuit pas... elle retourne à son service auprès de madame la duchesse.

LA MARQUISE (*sur le même ton d'aigreur*). Service qu'elle eût mieux fait de ne point quitter pour faire la coquette[5] avec un lieutenant de la garde.

LE MARQUIS (*solennel*). Qu'elle eût mieux fait de ne point quitter, comme le remarque votre mère, mon fils.

ROGER (*un peu agacé*). N'allez point faire un crime[6] à cette jeune fille d'avoir échangé quelques mots avec moi.

LA MARQUISE. Les fonctions de grand maître du palais, exercées

[1] *Il ne fait qu'un rêve:* il n'a qu'une seule ambition.

[2] *Cela lui sera bien égal:* that will not make any difference to her.

[3] *Elle y sera sensible:* she will appreciate it.

[4] *À ce qu'il paraît:* semble-t-il, so it seems.

[5] *Faire la coquette:* to play the coquette, to flirt.

[6] *Lui faire un crime de:* to make her a criminal for.

par votre père, lui donnent la charge de surveiller toutes les demoiselles d'honneur, et il fera rappeler, je l'espère, à mademoiselle de Chéneçay qu'il n'est pas décent...

LE MARQUIS. Parfaitement: qu'il n'est pas décent, comme le dit fort bien votre mère...

LA MARQUISE (*achevant*). ... de perdre son temps à se laisser conter fleurette.[1]

ROGER (*les bras au ciel*). Où prenez-vous, mon Dieu, que je conte fleurette [2] à mademoiselle Hélène?

LA MARQUISE. Hélène! Ah! ah! les choses sont plus avancées que nous ne le croyions... (*À* ROGER *qui s'éloigne.*) Attendez, Roger, et écoutez-nous.

LE MARQUIS. Asseyons-nous, ma mie! (*Ils s'asseyent.*)

LA MARQUISE. Votre père va vous résumer nos intentions en ce qui vous concerne.[3]

ROGER (*avec ennui*). Ah!...

LE MARQUIS. Monsieur, je vous ai fait connaître déjà notre situation pécuniaire; la famille de Sérignan est riche, très riche, même. (ROGER *le regarde avec étonnement.*)

LA MARQUISE. Riche d'une dizaine de millions.

(*Même jeu de* ROGER.)

LE MARQUIS. D'une dizaine de millions, comme vous le déclare votre mère.

LA MARQUISE. Mais, par une injustice flagrante du sort, ces dix millions appartenaient au frère de votre père, au colonel de Sérignan.

ROGER (*ironique*). Ah! Bon! ainsi...

LA MARQUISE (*continuant*). ... mort au service de l'Usurpateur [4]... (LE MARQUIS *et* LA MARQUISE, *sur ce dernier mot,*

[1] *À se laisser conter fleurette:* in letting someone make love to her.

[2] *Conter fleurette à:* to flirt with, to make love to.

[3] *En ce qui vous concerne:* in all that concerns you.

[4] USURPATEUR: les royalistes désignaient souvent Napoléon sous le terme d'Usurpateur, car, à leurs yeux, ce dernier n'était qu'un aventurier qui avait usurpé la couronne des rois de France.

poussent tous les deux un gros soupir.) Ils sont maintenant la propriété de votre cousine.

ROGER. C'est cela que vous entendez [1] en disant que la famille est très riche?

LA MARQUISE (*sèchement*). J'entends par là, mon fils, que cette fortune, qui est dans la famille, n'en doit pas sortir, m'entendez-vous? [2]

LE MARQUIS. Nous entendez-vous?

ROGER. Oui!

LA MARQUISE. En conséquence, il faut...

LE MARQUIS (*appuyant*). Il faut...

LA MARQUISE (*achevant*). ... que vous épousiez votre cousine.

ROGER. Épouser Napoléonette!... Mais elle ne pense pas à moi!

LA MARQUISE. À vous de faire en sorte [3] qu'elle y pense!... Vous êtes assez bien tourné,[4] je crois, pour faire impression sur cette petite écervelée.

LE MARQUIS. Assez bien tourné! (*Avec orgueil.*) C'est un Sérignan!

LA MARQUISE. Ce n'est point que cette union m'enchante... Votre cousine a une tenue! [5]... un langage!... une liberté d'allures!

ROGER (*souriant*). Dame!... un ancien soldat!...

LE MARQUIS ET LA MARQUISE (*vivement*). Chut!

ROGER. Eh! bien quoi? pendant toute son enfance, elle a suivi son père aux armées comme un brave petit enfant de troupe, tout le monde la croyait un garçon et les soldats l'appelaient le petit Léo.

[1] *Que vous entendez:* que vous voulez dire, that you mean.

[2] *M'entendez-vous?:* me comprenez-vous?

[3] *À vous de faire en sorte:* c'est à vous d'agir de telle façon, it is left to you to act in such a way.

[4] *Assez bien tourné:* handsome enough.

[5] *Une tenue!... un langage!... une liberté d'allures!:* such a deportment! such a language!... such a freedom in her demeanor!

LA MARQUISE. Jamais!... Jamais d'allusion à ce passé déplorable!

LE MARQUIS. Déplorable, comme le qualifie excellemment votre mère.

LA MARQUISE. Si j'ai consenti à la recevoir chez moi, à l'élever, c'est à la condition que nul ne saurait jamais qu'elle a servi l'Usurpateur!... et servi comment!... comme lancier!... Une jeune fille, lancier!

LE MARQUIS. Lancier!... Une jeune fille!

(*Ils poussent tous les deux un gros soupir.*)

LA MARQUISE. Ce sera à vous, mon fils, de réformer ses manières lorsque vous serez son mari.

ROGER (*exaspéré*). Son mari! Mais je ne le serai jamais...

LA MARQUISE. Vous le serez, monsieur!

ROGER. Jamais!

LE MARQUIS. Vous le serez!

LA MARQUISE. Ou sinon, votre père — il me le disait encore tout à l'heure — obtiendra de Sa Majesté qu'on vous envoie tenir garnison au fond des provinces.[1]

ROGER (*désolé*). Mais voyons!

LE MARQUIS (*très affirmatif*). Au fond des provinces. (*Avec un grand geste.*) Vous pouvez vous retirer!...

(ROGER *fait quelques pas vers le fond, puis revient, décidé à tenter un dernier effort.*)

ROGER (*à son père, suppliant*). Papa!

LE MARQUIS *et* LA MARQUISE (*bondissant*). Papa!

LA MARQUISE. Depuis quand, dans notre monde, les fils de nos familles interpellent-ils leur père avec cette familiarité? Allez, monsieur! (ROGER *regarde son père.*)

LE MARQUIS. Allez!... (ROGER *sort à la fois*[2] *navré et furieux.*)

[1] *Au fond des provinces:* in the most remote part of the provinces.

[2] *À la fois:* both.

SCÈNE III

LE MARQUIS, LA MARQUISE, BOUTARD

(BOUTARD *entre à gauche: costume de laquais de grande maison, culotte courte et bas blancs. Figure entièrement rasée.*)

BOUTARD (*s'arrêtant à distance respectueuse*). Pardon... C'est bien à monsieur le maire du Palais [1] que j'ai l'honneur de parler.

LE MARQUIS (*le considérant de très haut*). Hein? Quoi?

BOUTARD. C'est bien à monsieur le maire du Palais...

LE MARQUIS. "Grand Maître du Palais," mon garçon. (*À* LA MARQUISE.) Ce dadais se croit encore au temps des Mérovingiens!

BOUTARD (*à part, furieux*). Dadais!

LE MARQUIS. Eh bien, que voulez-vous?

BOUTARD. C'est M. l'Intendant qui vient de m'engager comme valet de pied, et qui m'a dit: "Présente-toi à monsieur le Maire... (*Se reprenant.*) à monsieur le Grand Maître du Palais."

LE MARQUIS. Ah bon... un nouveau laquais... (*À* LA MARQUISE.) Je vous rejoins à l'instant, chère amie... (LA MARQUISE *sort.* LE MARQUIS *s'assied sur un fauteuil et toise* BOUTARD *de la tête aux pieds.*) Avancez! (BOUTARD *fait deux pas en avant.*) Vous vous appelez?

BOUTARD. Boutard.

LE MARQUIS. Ce n'est pas un nom pour vous, drôle... un laquais n'a qu'un prénom.

BOUTARD (*impassible*). Boutard, Alexandre-César.

LE MARQUIS. Alexandre-César... Vous vous appellerez "Joseph." (BOUTARD *dissimule mal* [2] *une grimace.*) Voyons,

[1] *Maire du Palais:* au lieu de donner au marquis son véritable titre de Grand Maître du Palais, Boutard l'appelle maire du Palais. Or, les maires du Palais étaient les plus hauts fonctionnaires de l'État sous la première dynastie française des Mérovingiens.

[2] *Dissimule mal:* a de la difficulté à dissimuler, cacher.

marchez un peu devant moi. (BOUTARD *fait quelques pas.*) Bien! bon jeu des muscles pendant la marche!

(*Il s'approche de* BOUTARD *et lui tâte le mollet.*)

BOUTARD (*stupéfait*). Eh!...

LE MARQUIS. Bien... bien, les mollets!... de la fermeté sans exagération!... (*L'examinant en tournant autour de lui.*) Bonne tenue... aspect militaire... Vous avez été soldat?

BOUTARD. Je vous crois [1]... Oh! pardon!... cavalier Boutard, du deuxième lancier de la garde!

LE MARQUIS. Quelle garde?

BOUTARD. Mais, nom d'une pipe! [2] je n'en connais qu'une: la garde de l'Empereur!

LE MARQUIS. Il n'y a plus d'Empereur! Vous êtes maintenant au service de Sa Majesté Légitime Louis XVIII.[3] Oubliez le soudard [4] et soyez un valet de pied impeccable!...

BOUTARD. Oui, monsieur le maire... (*Se reprenant.*)... le grand maître!

LE MARQUIS (*s'en allant, sur le seuil de la porte*). Oubliez le soudard!

SCÈNE IV

BOUTARD, *puis* NAPOLÉONETTE

BOUTARD (*seul*). Pourquoi ce vieux-là [5] m'embête-t-il avec mes mollets?... Je n'aime pas ces manières-là... Eh bien, mon vieux Boutard, te voilà dans une belle place... mais, j'ai l'idée que tu n'y resteras pas longtemps!

(NAPOLÉONETTE *entre en courant, de gauche.*)

NAPOLÉONETTE (*à* BOUTARD). Dis donc, le gros! [6]... Eh là,

[1] *Je vous crois* (F): I should say so! [2] *Nom d'une pipe!:* great Scott!

[3] MAJESTÉ LÉGITIME: le terme Légitime est employé ici par opposition à Napoléon, une majesté illégitime.

[4] *Soudard:* a rather derogative term for soldier: "old trooper."

[5] *Ce vieux-là!:* that old fellow! [6] *Dis donc, le gros:* I say, big fellow.

le laquais! je ne sais pas ton nom, je ne peux pas t'appeler.

BOUTARD (*tout en rangeant les meubles*). Joseph, madame.

NAPOLÉONETTE. Il est bien parti par là?

BOUTARD. Qui ça?

NAPOLÉONETTE. Le gros homme qui a l'air [1] d'un dindon... Il est rentré chez lui, hein?

BOUTARD (*l'examinant*). Je ne sais pas... c'est la première fois...

NAPOLÉONETTE. Ah! tu es un nouveau. Tout s'explique! [2] Tu le connaîtras assez vite, mon oncle.

BOUTARD. C'est votre oncle?

NAPOLÉONETTE. Mais oui. Ne tombe pas de la lune,[3] mon garçon! C'est mon oncle, le marquis de Sérignan.

BOUTARD (*avec éclat*). Sérignan!... C'est bien ça [4]... je ne me trompe pas: vous êtes le petit Léo!

NAPOLÉONETTE. Bien sûr que [5] je suis le petit Léo!... (*Se reprenant.*) Mais voyons, il ne faut pas dire ça ici... Mais qui es-tu donc?

BOUTARD (*très ému*). Boutard! voyons! tu ne reconnais pas ton vieux Boutard?

NAPOLÉONETTE (*avec un cri de joie*). Boutard! l'ordonnance de mon pauvre papa! (*Elle lui saute au cou.*)

BOUTARD. Si monsieur le maire du Palais nous voyait!

NAPOLÉONETTE. Mon vieux Boutard! (*Elle le considère avec tendresse.*) Comme tu as l'air drôle tout rasé comme ça!

BOUTARD. Et toi, avec ta robe... et tes petits cheveux!

NAPOLÉONETTE. Tu as perdu du poil, et moi, j'en ai pris!... Tant pis, je t'embrasse encore! (*Regardant partout.*) Il n'y a personne? (*Elle lui saute de nouveau au cou.*)

[1] *A l'air:* looks like.

[2] *Tout s'explique:* everything is clear now.

[3] *Ne tombe pas de la lune* (F): don't look so surprised.

[4] *C'est bien ça:* c'est bien ce que je pensais.

[5] *Bien sûr que:* mais certainement.

BOUTARD (*ému*). Gamin![1] va . . . pardon: gamine . . . Excusez-moi, mademoiselle!

NAPOLÉONETTE. Si tu m'appelles mademoiselle, je te pince les mollets.

BOUTARD. Comme le vieux, alors? . . . Ah! non . . .

NAPOLÉONETTE (*admirant*). Comme tu as de beaux mollets!

BOUTARD. C'est aussi l'avis de votre oncle.

NAPOLÉONETTE. Tu m'appelleras "mademoiselle" quand il y aura du monde.[2] Mais, quand nous serons seuls, tous les deux, tu m'appelleras toujours Léo.

BOUTARD. Oui, mademoiselle.

NAPOLÉONETTE (*lui pinçant le bras*). Hein!

BOUTARD. Oui, mon petit Léo.

NAPOLÉONETTE. À la bonne heure![3] (*Elle saute assise sur la table, les jambes pendantes.*) Ah! comme cela me fait plaisir de te voir, mon vieux! (*Et, sans souci de la dignité du lieu, elle lui indique le fauteuil à côté de la table, où il s'assied, un peu gêné tout de même.*) Raconte-moi ce que tu es devenu? (*Geste de* BOUTARD.) Oui, je vois bien tu es devenu laquais. Mais comment ça s'est-il fait?[4]

BOUTARD. Ça s'est fait . . . comme se font les catastrophes . . . Une fois que l'autre[5] — le grand — a été envoyé à Sainte-Hélène,[6] on a mis à la porte[7] de l'armée tous les bons, tous les purs,[8] ceux qui l'aimaient comme les chiens aiment leur

[1] *Gamin!:* you! little boy! Boutard emploie d'abord le mot au masculin parce qu'il pense à Léo.

[2] *Du monde:* des gens, some people.

[3] *À la bonne heure!:* voyez la note 7, page 6.

[4] *Comment ça s'est-il fait?:* comment ça s'est-il produit? how did that happen?

[5] *L'autre:* le grand, Napoléon.

[6] SAINTE-HÉLÈNE: une île appartenant à la Grande-Bretagne et située dans le sud de l'Atlantique. C'est dans cette île, à Longwood, que mourut Napoléon après une captivité qui dura de 1815 à 1821.

[7] *On a mis à la porte de:* they have fired from.

[8] *Les purs:* les plus loyaux, the most loyal.

maître ... J'ai fait dix métiers différents, sans en trouver un qui me nourrisse ... Je commençais à mourir de faim très gentiment ...

NAPOLÉONETTE. Pauvre vieux!

BOUTARD. Ce matin, il me restait dix sous seulement; [1] j'entre dans un café: "Garçon, un café noir et un petit pain d'un sou ..." Je fais durer longtemps ce balthazar! [2] ... Tout à coup, sur la banquette, à côté de moi, j'aperçois une enveloppe ornée de cette inscription: "Présenter cette lettre à M. Lesparre, sous-intendant de la Maison du Roi, pour être engagé comme laquais aux Tuileries ..." Laquais? ... Autant ça que rien [3] ... Je me présente: on m'accepte ... On me fait revêtir ce superbe costume ... et me voilà.

NAPOLÉONETTE. Et si l'autre, celui qui a perdu la lettre, se présente?

BOUTARD. On me mettra à la porte, c'est clair.

NAPOLÉONETTE. Non, mon vieux, on te gardera, je m'en charge.[4]

BOUTARD. En attendant, je viens d'être présenté à ton oncle, le maire du palais.

NAPOLÉONETTE (*rectifiant*). Le grand maître du palais!

BOUTARD. Inutile, je ne peux pas y arriver [5] ...

NAPOLÉONETTE. Eh bien, moi, je suis la nièce du grand maître du palais ... et je n'en suis pas plus fière pour ça.[6]

BOUTARD. Tu ne te plais pas ici?

NAPOLÉONETTE. Ah! certes non! j'étouffe, ici. Songe donc, mon vieux ... (*Cherchant.*) Mon vieux?

BOUTARD. Joseph.

[1] *Il me restait dix sous seulement:* I had only ten cents left.

[2] *Ce balthazar:* ce banquet.

[3] *Autant ça que rien:* better that than nothing.

[4] *Je m'en charge:* I take it upon me.

[5] *Y arriver:* réussir (à le prononcer).

[6] *Je n'en suis pas plus fière pour ça:* I am none the prouder for all that.

NAPOLÉONETTE. Au lieu de mon uniforme de lancier, que je portais si bien...

BOUTARD. Pour ça,[1] oui...

NAPOLÉONETTE. On m'a mis des jupes, des jupons... Les premiers jours, je n'osais pas remuer; je m'entortillais les jambes dans toutes ces étoffes. Il m'a fallu[2] six mois pour m'y habituer... Mais il y a une chose à laquelle je ne m'habituerai jamais, c'est à m'embêter!

BOUTARD (*avec reproche*). Chut! chut!

NAPOLÉONETTE. Et on m'embête!

BOUTARD. Le gros dindon?

NAPOLÉONETTE. Et sa dinde! Ils sont tout le temps après moi: "Ma nièce, une jeune fille bien élevée ne se tient pas comme çà! Ma nièce, une Sérignan ne parle pas de cette manière! ..." Et, par-dessus le marché,[3] ils ne perdent pas une occasion de mal parler de mon parrain l'Empereur!

BOUTARD (*entre ses dents*). Sauvages![4]

NAPOLÉONETTE. Même mon nom, mon vieux Boutard, mon joli nom, qu'ils ne pouvaient pas supporter... Mon oncle et ma tante me l'avaient ôté. Ils prétendaient qu'on ne pouvait pas s'appeler Napoléonette dans la Maison du Roi... Imagine-toi qu'ils m'avaient appelée Marie-Antoinette!

BOUTARD (*indigné*). Ça, c'est triste!

NAPOLÉONETTE. Oh! c'est toute une histoire[5]... Et dans cette circonstance le vieux a été épatant[6]...

BOUTARD. Le vieux?

NAPOLÉONETTE. Eh bien, oui, le Roi... Louis XVIII, quoi! (BOUTARD *reste bouche bée.*) C'est un bon type,[7] tu sais...

[1] *Pour ça:* quant à ça.

[2] *Il m'a fallu:* cela m'a demandé, it took me.

[3] *Et par-dessus le marché:* and into the bargain.

[4] *Sauvages!:* the beasts!

[5] *C'est toute une histoire:* it is a long story.

[6] *Épatant* (F): wonderful.

[7] *Un bon type* (F): a good fellow.

C'est celui que je préfère ici.... Alors, voilà: moi, "Marie-Antoinette," je n'étais pas habituée à ça ... je ne répondais pas la moitié du temps.

BOUTARD. Ça sera comme ça, moi, pour "Joseph."

NAPOLÉONETTE. Alors, un jour que je n'avais pas répondu, voilà ma tante qui fait un tapage épouvantable [1] ... Si bien que [2] le Roi ouvre la porte de son cabinet et me dit: "Pourquoi ne répondez-vous pas quand on vous appelle, petite? — Parce que, Sire, je ne m'appelle pas comme ça: ce n'est pas mon nom! — Et comment vous appelez-vous? — Napoléonette, Sire" ... Ma tante était furieuse! ... "Vous êtes la filleule de Bonaparte, probablement? — Oui, Sire, je suis la filleule de l'Empereur et de l'Impératrice Joséphine." J'accentuais ces deux noms. Ma tante devenait verte! [3]

BOUTARD (*avec admiration*). Tu en as un aplomb! [4]

NAPOLÉONETTE. J'ai cru qu'elle allait avoir une attaque! [5]

BOUTARD. Ah! méchant petit Léo!

NAPOLÉONETTE. Oui, ton petit Léo! Si tu savais le plaisir que ça me fait ... Il me semble que je revois papa et les maréchaux et les batailles et tout ce qui a été ma vie et ma joie ... Oh! que je suis contente de t'avoir ici, mon vieux!

(*Et, dans un joli mouvement d'émotion, elle appuie doucement sa tête sur la large poitrine de l'ex-lancier.*)

BOUTARD. Ici! Je n'avais pas envie d'y moisir,[6] ici! Mais maintenant que je t'ai retrouvée, je reste.

NAPOLÉONETTE (*contente, lui serrant vigoureusement les mains*). Mon vieux Boutard!

[1] *Fait un tapage épouvantable* (F): kicked up an awful row, rumpus.
[2] *Si bien que:* so that.
[3] *Devenait verte:* devenait livide (d'indignation), *trs.*: "was becoming livid."
[4] *Tu en as un aplomb!:* you have some nerve!
[5] *Une attaque* (d'apoplexie): a stroke.
[6] *Je n'avais pas envie d'y moisir:* I had no mind to vegetate here.

Scène V

Napoléonette, Roger, *un instant* Boutard

(Roger *apparaît à gauche.* Boutard *a repris rapidement l'attitude respectueuse d'un laquais.*)

BOUTARD (*saluant jusqu'à terre*). Mademoiselle n'a pas d'autres ordres à me donner?

NAPOLÉONETTE (*prenant un air digne*). Non. Vous pouvez vous retirer, Joseph. (*En voyant que l'officier n'est autre que* [1] Roger, *elle éclate de rire.*) Ah! ah! ah! ah!

BOUTARD (*bas à* Napoléonette). Chut! chut!

NAPOLÉONETTE. Ce n'est pas la peine.[2] Va, inutile de prendre l'air d'avoir avalé ta lance![3] ... (*À* Roger.) Dis donc, Roger, voilà un brave garçon que je te recommande.

ROGER (*regardant* Boutard). Ce valet de pied?

NAPOLÉONETTE. Ce valet de pied est un ancien soldat, un fidèle compagnon de mon père ... Tu penses si [4] nous sommes contents de nous retrouver ... Au revoir, mon vieux et à bientôt.[5]

(*Nouvelles poignées de main.* Boutard *fait à* Roger *un beau salut militaire et sort à droite.*)

ROGER (*riant*). Ah! cousine, cousine!... Vous aurez bien de la peine à vous faire [6] aux manières de la Cour.

NAPOLÉONETTE. Ah! non [7] ... tu ne vas pas, toi aussi, me faire la leçon [8] ... Tes parents suffisent.

[1] *N'est autre que:* is no other than.

[2] *Ce n'est pas la peine:* It's not worth while (being formal).

[3] *Va, inutile de ... lance:* come now! It's no use looking as if you had swallowed your lance.

[4] *Tu penses si* (F): you can well imagine how.

[5] *À bientôt:* hope to see you soon.

[6] *À vous faire:* à vous habituer, accoutumer, to get accustomed.

[7] *Ah! non:* now!

[8] *Me faire la leçon:* to give me a lecture.

ROGER. Tu . . . tes . . . Mais, malheureuse enfant, vous savez bien que ce tutoiement n'est pas de mise [1] ici.

NAPOLÉONETTE. Dieu, que vous êtes ennuyeux, Roger! (*Brusquement.*) Non, je vous en prie, jamais on ne m'a dit "vous," à moi! . . . Papa me tutoyait, et les officiers, et les soldats et l'Empereur.

ROGER. Eh! bien, tutoyons-nous . . . Mais si mes parents . . .

NAPOLÉONETTE. Tes parents? . . . ils seront enchantés de cette familiarité.

ROGER (*imprudemment*). Pourquoi?

NAPOLÉONETTE. Voyons! parce que . . . ah! que tu es bête! [2]

(*Elle le regarde fixement.*)

ROGER (*rougissant*). Ah! tu as deviné! . . .

NAPOLÉONETTE. Leurs projets sur moi! Pas bien difficile à deviner.

ROGER (*ennuyé*). Et qu'est-ce que tu penses de ça, toi?

NAPOLÉONETTE. Je pense, mon Dieu, que ce mariage est une chose toute naturelle.

ROGER. Ah!

NAPOLÉONETTE. Tu es très bien, tu sais, vraiment très bien [3] . . . moi, je te trouve délicieux . . .

ROGER (*navré*). Vraiment?

NAPOLÉONETTE. Et je t'aime beaucoup, mais beaucoup! beaucoup! . . . (*Éclatant de rire.*) Mais pas pour t'épouser, grande bête! [4]

ROGER (*soulagé*). Ah! cousine! . . . Moi aussi, je t'aime beaucoup, beaucoup!

NAPOLÉONETTE. Oui, oui . . . maintenant que tu es sûr que je ne répondrai pas à ta flamme . . . Ce n'est pas flatteur, au fond.[5]

[1] *De mise:* proper, accepted.

[2] *Que tu es bête!* (F): how stupid you are!

[3] *Tu es très bien:* you are quite attractive.

[4] *Grande bête* (F): silly ass.

[5] *Au fond:* after all, when you think of it.

ROGER. Je te demande pardon, ma petite Napoléonette!

NAPOLÉONETTE. Je te pardonne... pour les beaux yeux de mademoiselle de Chéneçay!

ROGER. Ah çà! mais tu sais donc tout, toi?

NAPOLÉONETTE. Tout.

ROGER. Fiez-vous un peu à ces [1] petites filles écervelées qui sautillent, trottinent, babillent et n'ont l'air de rien! [2]

NAPOLÉONETTE (*le prenant par le bras*). Nous serons très gentils tous les deux, devant le monde: on rira, on causera dans les coins... Comme ça, tes parents s'imagineront que ça marche.[3] (*Ils se promènent ensemble dans la salle.*)

ROGER. Ça ne marchera pas!

NAPOLÉONETTE. Et ils nous laisseront la paix...

SCÈNE VI

Les mêmes, TOUTES LES DEMOISELLES D'HONNEUR, *dont* HÉLÈNE [4]

(*Des éclats de rire et des cris joyeux éclatent à droite, et plusieurs demoiselles d'honneur entrent en scène, en courant.*)

TOUTES LES DEMOISELLES D'HONNEUR. Napoléonette! Napoléonette! (*En voyant* ROGER, *elles s'arrêtent, médusées.*) Oh! un officier! (*Toutes les demoiselles prennent un air compassé.*)

ROGER (*saluant*). Mesdemoiselles...

(*Elles font toutes une révérence.*)

NAPOLÉONETTE. Eh bien, vous voilà calmées tout d'un coup? [5] ... C'est mon cousin qui vous fait [6] cet effet-là?

MADEMOISELLE DE LA ROQUE D'OLME. Votre oncle le grand

[1] *Fiez-vous un peu à ces:* well, now! trust those.
[2] *N'ont l'air de rien:* look insignificant, go about unnoticed.
[3] *Ça marche* (F): things are going their own way.
[4] *Dont Hélène:* dont Hélène fait partie (is one).
[5] *Tout d'un coup:* all of a sudden.
[6] *Qui vous fait:* qui produit sur vous.

maître nous a tellement recommandé d'avoir une attitude correcte vis-à-vis des jeunes officiers!...

NAPOLÉONETTE. Et surtout vis-à-vis des beaux officiers!

ROGER (*à sa cousine*). As-tu fini [1] de te moquer de moi?

NAPOLÉONETTE. Je ne me moque pas; c'est connu: tu passes pour [2] le plus bel officier de la Maison du Roi.

ROGER (*furieux*). Oh! voyons! [3]

MADEMOISELLE DE LA ROQUE D'OLME. Rassurez-vous, monsieur, puisque cet éloge vous déplaît. Vous étiez le plus bel officier. Mais, depuis hier, il y en a un nouveau, qui est encore mieux [4] que vous!

TOUTES LES DEMOISELLES (*chacune avec une révérence*). Mieux que vous!

ROGER (*riant*). Ah! Voilà qui est parfait! [5]

MADEMOISELLE DE JEUMONT. Il est même si bien que le capitaine des Gardes l'a fait passer dans le service du Roi.

NAPOLÉONETTE (*pénétrant vivement dans le cercle des demoiselles*). La Zoé?

TOUTES. Chut!...

ROGER. Malheureuse! [6] On ne dit pas la Zoé!

NAPOLÉONETTE (*plus bas*). La Zoé?... eh bien, alors, il me déplaît d'avance, votre bel officier.

HÉLÈNE. Vous n'aimez pas madame du Cayla? [7]

NAPOLÉONETTE. Elle?... Je m'en moque [8]... Mais elle est en très bons termes avec le Roi, ma chère.

[1] *As-tu fini?:* will you stop?

[2] *Tu passes pour:* tu es considéré comme.

[3] *Oh! voyons:* oh! please!

[4] *Mieux:* better looking, more attractive.

[5] *Voilà qui est parfait:* forme emphatique pour *cela est parfait.*

[6] *Malheureuse!:* you wretched girl!

[7] DU CAYLA: Zoé Talon, comtesse du Cayla (1785–1852), fut la confidente et l'amie du roi Louis XVIII; ses ennemis l'accusaient d'être une intrigante. Après la mort de Louis XVIII, elle devint la patronne de l'agriculture et de l'industrie.

[8] *Je m'en moque:* I don't care.

MADEMOISELLE DE LA ROQUE D'OLME. Et alors?

NAPOLÉONETTE. Alors un officier qui vient ici, protégé par cette dame, ne doit être qu'un intrigant . . .

MADEMOISELLE DE JEUMONT (*doucement*). Ou un amoureux . . . Elle le présente partout avec un air de condescendance.

ROGER (*vivement*). Attention! quelqu'un!

(*Les demoiselles d'honneur qui formaient à l'avant-scène un petit cercle se dispersent vivement et courent se ranger en ligne, de la porte du fond à la porte de droite.* ROGER *et* NAPOLÉONETTE *restent à gauche et affectent de causer avec animation.*)

SCÈNE VII

Les mêmes. LE MARQUIS, LA MARQUISE, *puis* CHALINDREY *et* LE DUC D'AGAY

LA MARQUISE (*entrant vivement*). Le service de madame la duchesse d'Angoulême![1] (*Elle passe devant les jeunes filles, et chacune lui fait une révérence.*) Le Roi se sent mieux, mesdemoiselles, et va faire une petite promenade dans les appartements.

LE MARQUIS. Une petite promenade . . . parfaitement.

LA MARQUISE (*faisant à* NAPOLÉONETTE *un petit salut protecteur*). Bonjour, petite! (*Aux demoiselles d'honneur.*) Allez rejoindre la duchesse, mesdemoiselles . . . Elle attend Sa Majesté dans le salon de Flore.[2] Roger, on demande tous les officiers de la garde.

LE MARQUIS (*à* ROGER, *qui n'entend pas*). Roger!

(ROGER *se retourne vivement.*)

[1] ANGOULÊME: Marie-Thérèse Charlotte, duchesse d'Angoulême (1778–1851), fille de Louis XVI et femme du duc d'Angoulême, membre très actif du parti des Ultra-Royalistes.

[2] FLORE: dans la mythologie romaine Flore est la déesse des fleurs et du printemps.

NAPOLÉONETTE. Je vous demande pardon, mon oncle!... On causait,[1] Roger et moi... on oubliait tout, quoi!...

(*Elle jette à* ROGER *un regard langoureux.*)

ROGER (*faussement confus*). Je m'excuse...

LA MARQUISE. Il n'y a pas de mal, mes enfants... Vous êtes cousins... Vous causez gentiment... c'est naturel.

LE MARQUIS. Tout naturel, comme le dit fort bien votre mère...

(ROGER *et* NAPOLÉONETTE *se serrent la main, en riant sous cape*[2] *tous les deux*... ROGER *sort rapidement.*)

LA MARQUISE. Dépêchons-nous, mesdemoiselles!

LE MARQUIS. Dépêchons-nous!

(*Toutes les demoiselles d'honneur sortent, suivies du* MARQUIS *et de la* MARQUISE. NAPOLÉONETTE *reste seule.*)

NAPOLÉONETTE. C'est le grand branle-bas! Je ne reste pas là, moi! (*Elle se dirige vivement vers la gauche et se rencontre nez à nez*[3] *avec* CHALINDREY, *qui entre, accompagné du duc* D'AGAY.) Monsieur le duc d'Agay!

CHALINDREY. Oh! pardon, mademoiselle!...

(*Il salue profondément.*)

NAPOLÉONETTE (*le reconnaissant*). Ah! pas possible!...

(*Elle reste bouche bée.*)

LE DUC D'AGAY. Bonjour, mademoiselle...

NAPOLÉONETTE. Bonjour, monsieur d'Agay... (*Les deux hommes vont passer. Elle se place devant* CHALINDREY.) Vous ne voulez donc pas reconnaître le petit Léo, mon lieutenant?... le petit Léo qui a été blessé à Waterloo et que vous avez soigné avec tant de bonté? Vous m'avez même refait mon pansement à la jambe!

CHALINDREY (*cherchant dans ses souvenirs*). Ah!

NAPOLÉONETTE. Et je dirai même que vous l'avez beaucoup remarquée, ma jambe!

[1] *On causait:* nous causions.

[2] *Sous cape:* up their sleeves.

[3] *Nez à nez:* face to face.

CHALINDREY. Comment, mais...

NAPOLÉONETTE. Et puis... je me suis évanouie dans vos bras!

CHALINDREY. J'y suis! [1] (*Lui baisant la main.*) Je ne m'attendais guère à pareille métamorphose... En vérité, j'ai peine à reconnaître le petit lancier d'autrefois...

LE DUC D'AGAY. Qu'est-ce que vous dites donc, tous les deux?

CHALINDREY. Eh! mon cher, cet enfant de troupe dont je t'ai si souvent parlé, le fils du colonel de Sérignan...

NAPOLÉONETTE. C'était une fille, et la voilà! (*Elle fait une révérence à* CHALINDREY.) Vraiment? Vous parliez du petit Léo? Vous pensiez à moi?

CHALINDREY. Très souvent!...

NAPOLÉONETTE. Ça, c'est gentil!... Moi aussi, j'ai pensé à vous souvent... Très souvent.

CHALINDREY (*agréablement étonné*). En vérité?

(*Un petit silence.*)

NAPOLÉONETTE (*au duc* D'AGAY). Vous savez, vous n'allez pas vous amuser à raconter ici que j'ai été soldat!... C'est ça qui ferait un pétard de tous les diables! [2]

CHALINDREY. Vraiment, quand on voit mademoiselle de Sérignan, il est difficile de s'imaginer qu'elle a fait les guerres de l'Empire et qu'il y a dix-huit mois...

NAPOLÉONETTE. Elle ne savait ni se tenir, ni chanter, ni danser, ni jouer de la harpe... je sais tout cela, maintenant: on m'a dressée! Il n'y a que pour le maintien, ça ne va pas encore très bien...

CHALINDREY (*souriant*). Ça viendra...

LE DUC D'AGAY. Et, tu ne sais pas?... Mademoiselle de Serignan a fait beaucoup plus difficile que tout ça.

NAPOLÉONETTE. Quoi donc?

[1] *J'y suis!:* I remember now!

[2] *Un pétard de tous les diables* (P): a deuce of a row.

LE DUC D'AGAY. La conquête du Roi. Oui, le Roi a pris en affection [1] mademoiselle Napoléonette.

CHALINDREY. Seriez-vous donc devenue royaliste?

NAPOLÉONETTE (*soudain grave*). Non, je n'ai pas changé: je suis toujours impérialiste, comme le duc d'Agay.

LE DUC D'AGAY. C'est si platonique, maintenant, hélas!

NAPOLÉONETTE. Mais j'aime bien le vieux Louis.

CHALINDREY (*riant*). Le "vieux Louis"! Quel manque de respect!

NAPOLÉONETTE. Il vaut mieux l'appeler le vieux Louis et l'aimer bien, que de lui prodiguer [2] des "Sire" et des "Gracieuse Majesté" tout en intriguant contre lui, comme les Ultras! [3] ... C'est un brave homme, et plein d'esprit, et fin comme l'ambre ... Vous verrez cela, mon lieutenant, si vous restez un peu à la Cour.

CHALINDREY. Mais j'y reste à la Cour: je suis attaché à la Maison du Roi, depuis hier.

NAPOLÉONETTE (*vivement*). Ah! c'est vous le nouveau?... celui dont on parlait ... Ah! ... (*Ton de désappointement.*)

CHALINDREY. C'est moi, le nouveau, en effet ...

NAPOLÉONETTE. C'est vous qui êtes protégé par ...

(*Elle s'arrête soudain, détournant la tête.*)

LE DUC D'AGAY. Je suis bien content que Jean ait été envoyé aux Tuileries ... surtout maintenant qu'il vous y a retrouvée! Car s'il veut se faire recommander au Roi, il n'a qu'à s'adresser à vous, mademoiselle. Votre protection est la meilleure de toutes.

[1] *A pris en affection:* has taken a fancy to.

[2] *De lui prodiguer:* to be constantly pouring (showering) upon him.

[3] ULTRAS: Après la chute de Napoléon, une partie des nobles qui durant la Révolution et l'Empire avaient dû s'exiler, rentrèrent en France avec les Bourbons. Au lieu d'accepter les réformes qui avaient été accomplies, ils voulurent restaurer la monarchie telle qu'elle était avant la Révolution et leurs violences causèrent la "Terreur blanche." Leur parti fut appelé le parti des Ultra-Royalistes, c'est-à-dire des gens plus royalistes que le roi.

NAPOLÉONETTE (*railleuse*). Je crois que M. de Chalindrey a une... protection plus intéressante que la mienne... (*Un petit silence embarrassé.*) Et la voilà!

(*Elle montre la porte de gauche qui vient de s'ouvrir.*)

SCÈNE VIII

NAPOLÉONETTE, CHALINDREY, LE DUC D'AGAY, MADAME DU CAYLA, *puis le* ROI, LE MARQUIS, LA MARQUISE, ROGER, LES DEMOISELLES D'HONNEUR, *etc.*

(*Madame* DU CAYLA *entre à gauche et se dirige vers* CHALINDREY.)

MADAME DU CAYLA. Ah! vous voilà, lieutenant! je vous cherchais.

CHALINDREY (*allant à elle*). C'est trop d'honneur que vous me faites, madame...

MADAME DU CAYLA. Le Roi va passer ici... je veux vous présenter à lui.

NAPOLÉONETTE (*sèchement, faisant une révérence*). Madame...

MADAME DU CAYLA (*d'un petit salut de tête protecteur*). Bonjour, mademoiselle.

NAPOLÉONETTE. Je félicitais à l'instant M. de Chalindrey d'avoir trouvé une introductrice aussi puissante auprès de Sa Majesté...

MADAME DU CAYLA. Mais, mademoiselle, si M. de Chalindrey est de vos amis, votre recommandation lui suffirait! Sa Majesté vous tient en affection,[1] et prend toujours plaisir dit-elle, à se trouver avec vous...

NAPOLÉONETTE (*agressive*). Oh! un bien petit plaisir, madame ... pas du tout le même qu'avec vous!

MADAME DU CAYLA (*à part*). Insolente!... (*Haut.*) Il trouve certainement en votre société plus de pittoresque dans le langage, et plus d'excentricité dans les actes...

[1] *Vous tient en affection:* a de l'affection pour vous.

NAPOLÉONETTE (*à mi-voix*). Chipie![1]...

MADAME DU CAYLA. Vous dites?

NAPOLÉONETTE. Je dis...

(*Elles vont se précipiter, furieuses, l'une sur l'autre lorsque la porte du fond s'ouvre.*)

LE MARQUIS (*ouvrant la porte du fond et annonçant*). Le Roi!

LE DUC D'AGAY (*vivement*). Le Roi! (*À part.*) Il était temps...

(*Un petit cortège apparaît au fond. Le* ROI, *au milieu, s'avance assez péniblement, s'appuyant sur sa canne et sur le bras du comte* DECAZE. *Derrière lui, quelques courtisans, des officiers, parmi lesquels* ROGER, *les demoiselles d'honneur, le marquis et la marquise de* SÉRIGNAN. *Tout ce monde s'avance en silence et sans gaieté.*)

NAPOLÉONETTE (*bas à* D'AGAY). Oh! là! là![2] Comme l'on s'amuse!... Est-ce que l'on ira jusqu'au cimetière?

LE DUC D'AGAY. Chut! chut!

LE ROI (*apercevant madame* DU CAYLA). Ah! Madame, nous vous cherchions tous. Vous manquiez à cette première sortie de l'impotent monarque, dont vous avez été la fidèle garde-malade.

MADAME DU CAYLA. Je vous cherchais moi-même, Sire, pour vous présenter le vicomte de Chalindrey.

LE ROI. Le nouvel officier de notre garde?... (CHALINDREY *salue profondément.*) Vous nous êtes amené, monsieur, par la main des Grâces... J'ai remarqué, d'ailleurs, que les jolies femmes se plaisaient à protéger les militaires: *Ferrum est quod amant.*[3]

NAPOLÉONETTE (*à part*). J'ai quelque chose dans mon soulier... (*Elle l'enlève, souffle dedans, l'agite.*)

MADAME DU CAYLA. Sire, toutes les grâces protectrices de M. de

[1] *Chipie!:* you cat! [2] *Oh! là! là!:* oh! dear me!

[3] *Ferrum est quod amant:* It is (the man of) the sword whom they love.

Chalindrey ne sont point réunies en ma personne... (*Désignant* NAPOLÉONETTE.) Et mademoiselle de Sérignan....

NAPOLÉONETTE (*son soulier à la main, à part*). Oh! la chipie!

LE ROI. Mademoiselle de Sérignan est ici?

(*Tout le monde s'écarte pour la lui laisser voir.*)

NAPOLÉONETTE (*toute rouge, s'avançant en sautillant sur un pied*). Sire, je vous demande bien pardon... j'avais un petit machin [1] dans ma chaussure!

LE MARQUIS ET LA MARQUISE (*à part, scandalisés*). Oh! un petit machin! (*Murmure parmi les assistants.*)

LE ROI (*riant*). Un petit machin?

LA MARQUISE (*bas à* NAPOLÉONETTE). Un petit machin!

LE MARQUIS (*même jeu*). Vous êtes folle!

NAPOLÉONETTE. Eh! bien quoi? Sa Majesté sait bien ce que c'est que d'attacher des petites ficelles autour des jambes...

(*Elle a remis sa chaussure, se redresse vivement et s'approche du* ROI, *à qui elle fait une belle révérence.*)

LE ROI (*souriant*). Approchez, petite fille, qu'on [2] vous voie! Vraiment c'est un heureux augure d'apercevoir, dès ma première sortie, ce joli minois si frais et si riant! (*À* DECAZE). Vous connaissez ma petite amie, mademoiselle de Sérignan?

DECAZE.[3] Sire, un ministre de la police doit connaître toute la Cour.

NAPOLÉONETTE. Oh! voilà longtemps que monsieur Decaze connaît toute ma famille... Autrefois, il a connu papa... quand il était secrétaire de l'impératrice mère...

(*Murmure général de désapprobation.* DECAZE *prend un air digne.*)

LE ROI (*à* DECAZE, *en riant*). Touché [4]... (*À* NAPOLÉONETTE.)

[1] *Machin* (F): a thing, stuff. [2] *Qu'on:* afin qu'on.

[3] DECAZE: Le duc Élie Decaze (1780–1860) fut successivement ministre de la police, puis premier ministre sous le gouvernement de Louis XVIII. Il se fit surtout remarquer par son libéralisme.

[4] *Touché!:* a term of fencing, a hit!

Je ne vous ai pas vue depuis longtemps, mademoiselle... Voilà bien des jours que je suis malade...

NAPOLÉONETTE (*vivement*). Un mois depuis hier, Sire.

LE ROI. C'est parbleu [1] vrai!... (*S'interrompant.*) Qu'on m'avance un fauteuil! Je vais me reposer un instant dans cette galerie. (*À* NAPOLÉONETTE.) Comment avez-vous su exactement la date à laquelle je suis tombé malade?

NAPOLÉONETTE. C'est que l'on s'amuse encore moins quand Votre Majesté n'est pas là...

(*Consternation du* MARQUIS *et de la* MARQUISE. *Les autres se retiennent pour ne pas rire.*)

LE ROI (*riant franchement*). À la bonne heure! avec vous, il y a toujours de l'imprévu [2]...

MADAME DU CAYLA (*ironique*). Toujours, Sire!

LE ROI. Prenez un siège, petite fille, et mettez-vous là, près de moi. (NAPOLÉONETTE *va prendre une chaise et l'approche du* ROI.) Plus près!...

(NAPOLÉONETTE, *ravie, met sa chaise contre le fauteuil du* ROI. *Le* MARQUIS *bondit, fait signe à sa nièce de se lever: elle se lève.*)

NAPOLÉONETTE (*au* MARQUIS *comme pour s'excuser*). Le Roi a dit plus près!

(*Le* MARQUIS *recule la chaise.* NAPOLÉONETTE *se rassied en regardant le* ROI *et se met à rire.*)

LE ROI. J'aime votre gaieté. (*Le* ROI *rit à son tour. Le* MARQUIS *rit plus fort que lui pour se rendre intéressant. Le* ROI *le regarde froidement et dit à* NAPOLÉONETTE.) Votre gaieté, tout particulièrement!

LE DUC D'AGAY (*à part*). Ce qui veut dire, "Les autres, ne m'importunez pas!"

(*On s'empresse de s'éloigner. Des groupes se forment. On affecte de causer avec animation. Madame* DU

[1] *Parbleu!:* my faith!

[2] *De l'imprévu:* quelque chose d'inattendu, something unexpected.

CAYLA *entame une grande conversation avec* CHALINDREY *mais ne perd pas de l'œil*[1] *l'entretien du* ROI *avec* NAPOLÉONETTE, *à qui elle lance de temps en temps un regard peu bienveillant.*)

LE ROI. Si vous voulez être franche, mademoiselle, vous m'avouerez que cela ne vous réjouit pas beaucoup d'être enlevée de vive force à vos adorateurs.

NAPOLÉONETTE (*riant*). Oh! mes adorateurs? Moi, d'abord, je n'ai pas d'adorateurs ...

LE ROI (*désignant* ROGER). Il y a pourtant ici un bel amoureux avec qui vous causez souvent ...

NAPOLÉONETTE. Ça? ... un amoureux! ... C'est Roger de Sérignan, mon cousin.

LE ROI. Votre cousin, soit. Mais un cousin peut être un amoureux.

NAPOLÉONETTE. Pas cette fois, Sire! Mais il ne faut pas le dire!

LE ROI (*l'imitant*). Il ne faut pas le dire! ... Qu'est-ce donc qu'il ne faut pas dire?

NAPOLÉONETTE. Qu'il n'est pas un amoureux! ... parce que, Sire, mon oncle et ma tante voudraient que nous nous épousions, mais nous ne le voulons pas. Seulement, nous faisons semblant[2] de nous aimer et ainsi ils nous laissent tranquilles. Votre Majesté a bien compris, pour ne pas nous contredire.[3]

LE ROI (*très amusé*). Je ne me contredirai pas, soyez tranquille. ... Mais, dites-moi, il me semble singulier que vous ayez, votre cousin et vous, cette aversion l'un pour l'autre.

NAPOLÉONETTE. Mais, il n'y a pas d'aversion, Sire. J'aime Roger, mais pas pour l'épouser ... et lui non plus ne m'épouserait pas, même si j'étais la plus jolie femme de la Cour.

[1] *Ne perd pas de l'œil:* keeps an eye on.

[2] *Nous faisons semblant:* nous prétendons.

[3] *Pour ne pas nous contredire:* in order not to give us away.

LE ROI. Et quelle est, à votre avis,[1] la plus jolie femme de la Cour? (*Malgré lui, il regarde madame* DU CAYLA.)

NAPOLÉONETTE (*franchement*). C'est mademoiselle de Chéneçay, Sire.

LE ROI (*surpris*). Ah! c'est... Je croyais que vous alliez me dire... Et quelle est, selon vous, celle qui a le plus d'esprit?

(*Il tire sa tabatière et offre une prise à* NAPOLÉONETTE. *Celle-ci, par respect n'osant refuser, prend une pincée de tabac en faisant — sans que le* ROI *s'en aperçoive — la moue.*[2])

NAPOLÉONETTE. Je crois bien, Sire, que c'est madame la duchesse de Berry.[3]

LE ROI (*étonné*). Ma nièce?... Mais elle n'est des nôtres que depuis[4] quelques semaines... on la voit peu aux Tuileries...

NAPOLÉONETTE. Justement: c'est pour ça. Elle a trouvé ce moyen charmant de ne venir à la Cour qu'à l'heure où les courtisans n'y sont pas... C'est d'une femme d'esprit!

LE ROI (*à mi-voix, la regardant*). *Spiritus ubi vult*...[5]

NAPOLÉONETTE (*achevant la citation*). ...*spirat!*... "L'esprit souffle où il veut"... Alors, ici, à la Cour, il n'y a pas à craindre les courants d'air! (*Le* ROI *la regarde avec stupeur, puis se met à rire de bon cœur. Baissant la tête.*) Oh! pardon, Sire!...

LE ROI. Mais croyez-vous qu'à la Cour de votre parrain...

NAPOLÉONETTE (*courageusement*). Oh! là, Sire, c'était autre chose: c'était un vent de gloire qui soufflait à la Cour de l'Empereur Napoléon!

[1] *À votre avis:* d'après vous, in your opinion. [2] *Faisant la moue:* pouting.

[3] DUCHESSE DE BERRY: Ferdinande Louise, duchesse de Berry (1798–1870), était la fille du roi de Naples, la nièce de Louis XVIII, et la mère du comte de Chambord; son mari fut assassiné à Paris en 1820.

[4] *N'est des nôtres que depuis:* has been one of us for only.

[5] *Spiritus ubi vult spirat:* The spirit blows where it will.

LE ROI (*vivement*). Je ne permets pas ce nom!... C'est... c'est un nom...

NAPOLÉONETTE (*d'une voix flûtée*). De guerre!

(*Elle baise respectueusement la main du* ROI.)

LE ROI (*désarmé*). Diable de petite fille! [1]

NAPOLÉONETTE (*confidentiellement*). Je ne sais pas si Votre Majesté s'en aperçoit, mais tout le monde a les yeux tournés vers notre coin.

LE ROI (*riant*). Si tout le monde a les yeux tournés vers notre coin, il faut se quitter.

NAPOLÉONETTE. C'est dommage... j'aurais eu quelque chose à demander à Votre Majesté... mais il vaut mieux que ce ne soit pas ici.

LE ROI (*se levant et à haute voix*). Eh bien, je vous donnerai audience ce soir, à huit heures, et vous nous présenterez votre requête... Je vous remercie, mademoiselle Napoléonette, du bon petit moment que je vous dois.

NAPOLÉONETTE. Ah! Sire!... quand Votre Majesté voudra, je suis toute à son service!...

(*Elle fait une profonde révérence. Le* ROI *va prendre le bras de* DECAZE, *mais il se ravise et fait signe à madame* DU CAYLA, *qui se précipite, toute fière de cet honneur. Le* ROI *sort ainsi, au fond, entre madame* DU CAYLA *et le comte* DECAZE, *et suivi de son cortège.* ROGER *s'approche de sa cousine.*)

ROGER. Qu'est-ce que vous avez donc pu vous raconter [2] comme ça, tous les deux?

NAPOLÉONETTE (*mutine*). Des choses!...

(*Le* MARQUIS *et la* MARQUISE *s'approchent d'elle, gracieux et souriants.*)

[1] *Diable de petite fille!:* you little demon!

[2] *Qu'est-ce que ... vous raconter:* what on earth have you been telling each other, the two of you?

LA MARQUISE (*très aimable*). Comptez-vous, ma nièce, venir tout à l'heure à la soirée que donne madame de Rémusat? [1]

NAPOLÉONETTE (*aimable*). Si vous le désirez vivement, madame...

LA MARQUISE. Nous vous laissons libre, mon enfant...

LE MARQUIS. Nous vous laissons libre.

NAPOLÉONETTE (*à part, stupéfaite*). Son enfant!

LA MARQUISE. Vous ferez comme il vous plaira...

LE MARQUIS. Tout à fait comme il vous plaira...

LA MARQUISE. Notre voiture vous attendra aussitôt après votre audience...

NAPOLÉONETTE. Ah! Ah!... on écoutait.[2]

LA MARQUISE. Vous avez donc quelque chose à demander à Sa Majesté?

NAPOLÉONETTE (*saluant*). Je vous le confierai, madame, lorsque Sa Majesté m'y aura autorisée.

LA MARQUISE. Bien, bien... je ne vous demande rien...

LE MARQUIS. Nous ne vous demandons rien.

TOUS DEUX (*avec une amabilité forcée*). Au revoir.

(*Ils regagnent le cortège qui s'éloigne.*)

NAPOLÉONETTE. A-t-on jamais vu plus de servilité!

ROGER (*riant*). Puissance de la faveur royale! [3]

NAPOLÉONETTE. Tiens, Roger, si ce n'étaient pas tes parents, je te dirais qu'ils me dégoûtent!

ROGER (*avec reproche*). Oh! ne dis pas ça!

NAPOLÉONETTE. Je ne le dis pas! je le pense!

(ROGER *sort au fond, pendant que* NAPOLÉONETTE *s'apprête à sortir à gauche.*)

[1] MADAME DE RÉMUSAT: Madame de Rémusat (1797–1875) est l'auteur de mémoires intéressants sur la cour de Napoléon I, où elle avait été dame d'honneur.

[2] *On écoutait: on* stands for *they*; that is, the marquis and the marquise.

[3] *Puissance:* ô puissance! o power!

SCÈNE IX

NAPOLÉONETTE, BOUTARD

(*La nuit vient peu à peu pendant cette scène.*)

BOUTARD (*de loin, à droite*). Hem!... Psst![1]...

NAPOLÉONETTE (*s'arrêtant*). Hein?

BOUTARD (*s'approchant d'elle mystérieusement*). Il vient de m'arriver quelque chose de bizarre,[2] mon petit... Je crois que j'ai mis la main sur une drôle de machination.[3]

NAPOLÉONETTE. Ah!

BOUTARD. J'étais de planton dans une antichambre, là-bas, quand tout-à-coup deux individus s'approchent de moi en causant à voix basse. Et l'un d'eux dit en me regardant: "Voilà le nouveau valet de pied. — Il est des nôtres," répond l'autre... Moi, j'étais surpris naturellement.

NAPOLÉONETTE (*intéressée*). Oui... oui... va![4]

BOUTARD. Alors, il vient à moi, et me dit à l'oreille: "Nous avons rendez-vous dans la Galerie Blanche..."

NAPOLÉONETTE. Ici?

BOUTARD. Ah! c'est ici?... "Veille à ce que[5] nous puissions y causer un instant seuls, sans oreilles indiscrètes, avec Zoé." Zoé? Tu sais qui c'est, toi?

NAPOLÉONETTE. Mais c'est la du Cayla, nigaud!... Zoé-Juliette Talon, comtesse du Cayla... Continue.

BOUTARD. Et l'individu ajoute en passant devant moi et en clignant de l'œil,[6] "Charleroi."[7]

[1] *Hem... Psst:* eh... psitt!

[2] *Il vient de m'arriver... bizarre:* something extraordinary has just happened to me.

[3] *J'ai mis... machination:* I have discovered a strange machination, plot.

[4] *Va:* continue, go on.

[5] *Veille à ce que:* see that.

[6] *Clignant de l'œil:* winking.

[7] CHARLEROI: ville industrielle de Belgique. Le nom de Charleroi est employé ici comme mot d'ordre (password) pour Charles, roi de France. Le

NAPOLÉONETTE. Charleroi?

BOUTARD. Une ville de Flandre ... ça, je connais ... j'y ai cantonné ... Mais, malgré ça, je comprenais de moins en moins ... seulement, je ne me suis pas trahi, j'ai dit, "Bien, monsieur." J'ai cligné de l'œil ... (*Il fait le mouvement.*) J'ai décampé ... et me voilà!

NAPOLÉONETTE (*réfléchissant*). Charleroi? ... C'est ce diable de "Charleroi" qui me tracasse ... (*Brusquement.*) Ah!

BOUTARD. Tu as compris?

NAPOLÉONETTE. C'est comme s'ils avaient dit: le roi Charles.

BOUTARD (*les yeux ronds*). Eh bien?

NAPOLÉONETTE. Vraiment tu es un idiot, mon pauvre vieux! S'il n'y avait pas le roi Louis XVIII, qu'est-ce qui serait roi à sa place?

BOUTARD. Louis XIX.

NAPOLÉONETTE (*haussant les épaules*). Nigaud, va! ... Ce serait son frère, "Monsieur," le comte d'Artois, qui s'appelle ...?

BOUTARD. Je n'en sais rien.

NAPOLÉONETTE. Mais, "Charles!" Voyons![1] Il s'appelle Charles! ... Tes deux escogriffes sont des mécontents qui veulent faire "Charles roi." ... Comprends-tu? C'est leur mot d'ordre.[2]

BOUTARD (*heureux de comprendre*). Ah! bon.

NAPOLÉONETTE. Ce sont des "Ultras," parbleu! ...

BOUTARD. Comment dis-tu? ... des ... quoi?

NAPOLÉONETTE. Des Ultras! ... Tu ne sais pas non plus ce que c'est que les Ultras?

BOUTARD (*ahuri*). Non!

comte Charles d'Artois, frère de Louis XVIII, était alors à la tête des Ultra-Royalistes et, lorsqu'à la mort de son frère, il devint le roi Charles X, son attitude anti-libérale fut une des causes principales de la Révolution de 1830, qui mit fin à son règne.

[1] *Voyons:* don't you see!

[2] *Mot d'ordre:* password.

NAPOLÉONETTE. Les Ultras, ce sont des conspirateurs.

BOUTARD. Joli monde! [1]

NAPOLÉONETTE. Ils veulent détrôner le vieux Louis et mettre leur "Charles" à sa place . . . Saisis-tu? [2]

BOUTARD. J'y suis [3] . . . et ils m'ont pris pour un autre laquais qui est des leurs . . .

NAPOLÉONETTE. Ah! tu ouvres ton intelligence? Ce n'est pas trop tôt! . . . (*Ayant soudain une idée.*) Eh bien, attends-les, tes Charleroi . . . Ah! ils ne veulent pas d'oreilles indiscrètes! Eh bien, je vais leur offrir les miennes. Je vais me cacher.

BOUTARD. Où ça?

NAPOLÉONETTE. N'importe où, puisque tu es là pour leur donner confiance! Tiens, derrière ce rideau.

(*Elle montre les rideaux de la grande fenêtre.*)

BOUTARD. Ce n'est pas très joli, pour une jeune fille, d'écouter aux portes.[4]

NAPOLÉONETTE (*se cachant*). Je n'écoute pas aux portes, j'écoute aux fenêtres.

BOUTARD (*entendant du bruit*). Chut! . . . les voilà.

SCÈNE X

BOUTARD, VITROLLES, SOSTHÈNE DE LA ROCHEFOUCAULD

VITROLLES (*entrant à gauche, suivi de* SOSTHÈNE, *à* BOUTARD). Personne par ici? [5] on peut parler?

BOUTARD. Oui, oui, parlez. Ne vous gênez pas,[6] messieurs!

SOSTHÈNE. Laissez-nous, maintenant! Mais restez là, tout près. Nous pouvons avoir besoin de vous.

BOUTARD (*avec un large sourire*). Toujours prêt à vous rendre service de la même manière. (*Il sort au fond.*)

[1] *Joli monde!:* a fine lot of people. [2] *Saisis-tu?:* comprends-tu?
[3] *J'y suis:* je comprends maintenant. [4] *Écouter aux portes:* to eavesdrop.
[5] *Par ici:* around. [6] *Ne vous gênez pas:* make yourselves at home.

SCÈNE XI

SOSTHÈNE, VITROLLES, *puis* MADAME DU CAYLA

SOSTHÈNE. Mon cher, je vous l'ai dit, nos partisans commencent à s'étonner de notre inaction. Il faut aboutir!

VITROLLES. C'est pour cela que j'ai prié la comtesse de nous rejoindre ici.

MADAME DU CAYLA (*entrant au fond, introduite par* BOUTARD). Ah! Monsieur de Vitrolles... Monsieur de la Rochefoucauld... Qu'avez-vous de si important à me dire, pour m'avoir fait appeler ici, à cette heure?

VITROLLES. Nous avons à parler sérieusement. Dans une réunion secrète, qui s'est tenue hier chez Monsieur de Maubreuil, notre parti a résolu d'en finir [1] rapidement, et de mettre sur le trône de France le prince de notre choix.

SOSTHÈNE. Vous nous avez promis — et vous savez en échange de quelles faveurs, de quelle fortune! — des papiers, des lettres, que le Roi conserve précieusement.

VITROLLES. Des lettres que nous pourrions publier, pour obliger ce Roi infirme à abdiquer.

SOSTHÈNE. Vous seule pouvez les lui soustraire... vous seule avez vos entrées chez lui à toute heure...

VITROLLES (*avec un ricanement*). À toute heure!...

MADAME DU CAYLA. Je vous les ai promises, et vous les promets encore... Mais l'entreprise est difficile... Le Roi est terriblement soupçonneux et malin... J'ai dû m'y reprendre [2] à plusieurs fois pour savoir où ils étaient, vos fameux papiers.

VITROLLES. Où sont-ils?

MADAME DU CAYLA. Dans son cabinet de travail... Et son cabinet de travail est bien gardé! Impossible de les dérober. Il faudrait qu'il me les donnât de bon gré.[3]

[1] *D'en finir:* to bring the matter to an end.

[2] *J'ai dû m'y reprendre...fois:* I had to make several attempts.

[3] *De bon gré:* of his own free will.

SOSTHÈNE. Diable!

MADAME DU CAYLA (*réfléchissant avec un sourire*). Je m'en charge[1] ... Tout à l'heure, je vais le voir, et je vais faire tout mon possible pour réussir ... Je vous retrouverai à neuf heures à la soirée de madame de Rémusat.

VITROLLES. Avec les papiers?

MADAME DU CAYLA. Si je ne les ai pas, c'est que j'aurai perdu tout mon pouvoir.... (*Se regardant dans une glace.*) Et je me crois suffisamment armée ...

SOSTHÈNE (*galant*). Vous avez là des yeux![2] ... Votre vieil amoureux n'y pourra résister.

VITROLLES. Bonne chance, comtesse!

MADAME DU CAYLA (*familièrement*). Au revoir!

SOSTHÈNE. Séparons-nous.

VITROLLES. À ce soir.

SOSTHÈNE. À ce soir.

(*Madame* DU CAYLA *sort à gauche suivie de* SOSTHÈNE. VITROLLES *sort à droite.* BOUTARD, *qui a écouté, passe sa tête entre les deux battants de la porte du fond;* NAPOLÉONETTE *en fait autant*[3] *à travers les rideaux. Ils se regardent sans rien dire, pendant un instant. Puis ils avancent en scène presque ensemble.*)

SCÈNE XII

NAPOLÉONETTE, BOUTARD, *puis un instant* CHALINDREY

BOUTARD (*rompant le silence, avec un geste*). Ah! les sal[4] ...

NAPOLÉONETTE (*vivement pour l'empêcher d'achever*). Scélérats!

[1] *Je m'en charge:* I take it upon me.

[2] *Des yeux!:* such eyes!

[3] *En fait autant:* does the same.

[4] *Les sal ... :* When Napoléonette interrupts Boutard, the old soldier is on the point of using the strong word "salauds" which means the "swine"!

... Ici, à la Cour, on dit: scélérats! Et cette femme! cette femme! ... Pouah!

BOUTARD. Qu'est-ce que tu vas faire?

NAPOLÉONETTE. Je ne sais pas ce que je vais faire ... mais je ferai quelque chose, pour sûr! ... Et, pour commencer, j'irai à la soirée Rémusat! On y meurt d'ennui, d'habitude ... Mais, ce soir, il y aura du mouvement, je t'en réponds.[1] Et comme j'ai mon audience, avant! ... Patience! ...

CHALINDREY (*entrant du fond*). Pardon! Madame du Cayla n'est pas ici? (*Reconnaissant* NAPOLÉONETTE.) Ah! c'est vous, mademoiselle? ...

NAPOLÉONETTE. Oui, monsieur, c'est moi ... Ce n'est pas la dame que vous cherchez.

CHALINDREY. Elle m'a fait demander ... c'est pour cela que ...

NAPOLÉONETTE (*le prenant par le bras*). Par là! [2] elle vient de partir par là! En vous dépêchant, vous la rattraperez. Courez! courez donc! ... (*Nerveuse, elle pousse* CHALINDREY, *qui, bousculé, sort à gauche, un peu ahuri.*) Ah! Boutard! ... Est-ce qu'il serait du complot,[3] lui aussi? Lui! ... ça me ferait trop de peine! [4]

BOUTARD (*essayant de la calmer*). Mais non, mon petit, mais non!

NAPOLÉONETTE. Ah! cette femme! Elle est capable de l'avoir mêlé à cette sale intrigue!

BOUTARD. Calme-toi, mon petit!

NAPOLÉONETTE. Me calmer, oui ... sur quelqu'un ... ou sur quelque chose! ça me détendrait les nerfs! [5] ... Vois-tu, j'ai envie de tout casser! ... (*Elle met par mégarde la main sur la lampe qui est sur la table.*) Ah!

[1] *Je t'en réponds:* je puis t'en assurer, I can assure you.

[2] *Par là:* that way.

[3] *Est-ce qu'il serait du complot?:* could he be in the plot?

[4] *Ça me ferait trop de peine:* that would hurt, grieve me too much.

[5] *Détendrait mes nerfs:* would soothe my nerves.

BOUTARD. Voyons! (NAPOLÉONETTE *enlève soudain le verre.*) Qu'est-ce que tu vas faire encore?

NAPOLÉONETTE. Tu vas voir! (*Elle embouche le verre de lampe comme une trompette, et, de toutes ses forces, hurle:*) Vive l'Empereur! Vive l'Empereur! Vive l'Empereur!

(*Elle court à la porte de droite où elle crie, "Vive l'Empereur!" De là, elle va crier à la porte du fond dont elle ouvre d'un grand coup de pied les deux battants, puis court à la porte de gauche, qu'elle ouvre de même façon, en criant toujours, jusqu'au baisser du rideau, "Vive l'Empereur!" tandis que* BOUTARD, *effrayé par l'énormité de ces cris séditieux, se laisse tomber dans le fauteuil où le* ROI, *tout à l'heure, reposait son auguste personne.*)

BOUTARD (*navré*). Nous sommes perdus!

ACTE DEUXIÈME

Le cabinet du Roi Louis XVIII, *aux Tuileries. Hautes boiseries en chêne sculpté surmontées de vieilles tapisseries. La boiserie du fond gauche a pour motif principal un aigle. Une grande porte à deux battants, au fond, donnant sur un salon d'attente. Une petite porte à deux battants, à gauche donnant sur les appartements privés du* Roi. *Une petite porte, à droite, dissimulée dans la boiserie. À gauche, le bureau du* Roi, *posé un peu obliquement; un grand fauteuil derrière ce bureau. À droite, un canapé derrière lequel est une petite table. Sur le bureau du* Roi, *encrier, buvard, et accessoires, tous de style. Divers rouleaux de papier et de carton.*

Scène I

Madame du Cayla, Boutard

(*La scène est vide. La porte du fond s'entr'ouvre, et on entend la fin d'une discussion.*)

madame du cayla (*grande toilette de bal, avec une sortie de bal jetée sur ses épaules*) . . . Je vous dis que j'y suis autorisée par le Roi. (*Elle entre.* Boutard *la suit, désolé.*)

boutard. Je répète à madame qu'on m'a donné l'ordre de ne laisser entrer qui que ce soit [1] dans le cabinet de Sa Majesté.

madame du cayla. Je ne suis pas "qui que ce soit," mon garçon! . . . Je suis la comtesse du Cayla. Vous ne savez donc rien?

boutard. Je demande pardon à madame la comtesse . . . je ne peux rien savoir . . . je ne suis entré au palais que ce matin.

madame du cayla. Ce matin . . . (*Bas, le regardant.*) C'est bien notre homme! (*Elle s'approche de lui et lui dit à voix basse.*) Charleroi!

boutard (*clignant de l'œil*). Charleroi!

[1] *Qui que ce soit:* personne, anyone.

MADAME DU CAYLA. Comprenez-vous, maintenant? Si, le jour même où vous entrez au palais, on vous met à ce poste de confiance, c'est par mon influence, mon garçon! Il était convenu que le nouveau laquais y serait ce soir. (*Le fixant dans les yeux.*) Nous avons besoin d'un homme à nous.

BOUTARD. Je suis aux ordres de madame la comtesse.

MADAME DU CAYLA. Obéissez-moi en tous points! [1] ... J'entre ici. (*Elle ouvre la porte dissimulée dans la boiserie.*) Prévenez Sa Majesté que je suis dans le boudoir et que j'attends ses ordres.

BOUTARD (*prenant l'air de plus en plus idiot*). Oui, madame la comtesse qui est là...

MADAME DU CAYLA (*à part*). Quel nigaud! (*Elle sort.*)

BOUTARD (*tout en saluant profondément, entre ses dents*). Quelle peste!... (*Il referme la petite porte, s'aperçoit qu'elle a un verrou, et le ferme très ostensiblement.*) Tu vas moisir un peu là-dedans, ma vieille! [2] S'il n'y a que moi pour prévenir Sa Majesté de ta présence!...

(*Il se dirige vers le fond et est sur le point de refermer la porte de gauche qu'on vient d'ouvrir, quand le* ROI *entre, clopin-clopant, appuyé sur sa canne et sur le bras du comte* DECAZE. *Il prend aussitôt l'attitude rigide et glacée du laquais de la maison du* ROI.)

SCÈNE II

LE ROI, LE COMTE DECAZE

DECAZE (*à* BOUTARD). Laissez-nous!... (BOUTARD *sort. Au* ROI.) Comment se trouve Votre Majesté?

(*Il aide le* ROI *à s'asseoir dans son grand fauteuil.*)

LE ROI. Mieux, monsieur, beaucoup mieux... Aussi, je veux

[1] *En tous points:* in all respects.

[2] *Ma vieille!* (P): old witch!

aller passer ma soirée à la Comédie-Française,[1] et voir cette fameuse mademoiselle Mars [2] dans Célimène.[3]

DECAZE. Sire, cette actrice est notoirement impérialiste, et cette faveur ...

LE ROI (*finement*). La faveur sera pour moi, monsieur, car, si c'est mademoiselle Mars que je vais voir, celui que je vais entendre, aussi, c'est Molière [4] ...

DECAZE. Je ne dis pas,[5] Sire! Mais cette soirée peut être un prétexte: les bonapartistes s'agitent ...

LE ROI (*railleur*). Pas plus que d'habitude, je pense? Vous n'aurez qu'à donner vos ordres afin qu'on prenne, à l'aller comme au retour,[6] les précautions d'usage ...

DECAZE (*soucieux*). Évidemment, Sire ...

LE ROI. Qu'avez-vous donc? ... Vous semblez hésiter à me dire quelque chose!

DECAZE. Eh bien, oui, Sire! ... un incident tellement extraordinaire! ...

LE ROI. Parlez.

DECAZE. Ici même,[7] dans votre palais des Tuileries, à la nuit

[1] COMÉDIE-FRANÇAISE: un des plus anciens et des plus célèbres théâtres de Paris. Ce théâtre est subventionné par l'État et les acteurs sont de véritables fonctionnaires.

[2] MADEMOISELLE MARS 1779–1847: célèbre comédienne française et une grande interprète des rôles féminins des œuvres de Molière et de Marivaux.

[3] CÉLIMÈNE: un personnage de la fameuse comédie de Molière *Le Misanthrope*. Célimène représente le type de la femme jeune, belle, coquette et médisante. Son nom est encore aujourd'hui appliqué à une coquette.

[4] MOLIÈRE: né à Paris en 1622 et mort en 1673, Molière est le plus grand auteur comique français. Pour la création de caractères, la fertilité et la justesse de sa pensée, le choix de l'expression, l'observation exacte de la vie humaine, Molière occupe une des plus hautes places dans l'histoire de la littérature française. Parmi ses comédies les plus célèbres on doit citer: *Le Misanthrope*, *Tartuffe*, *L'Avare*, *Le Malade Imaginaire*.

[5] *Je ne dis pas:* I don't deny it.

[6] *À l'aller comme au retour:* both on the way out and back.

[7] *Ici même:* at this very place.

tombante, il n'y a pas deux heures... c'est tellement invraisemblable que cela me semble ridicule!...

LE ROI (*impatienté*). Parlez donc!

DECAZE. On a crié: "Vive l'Empereur!"

LE ROI. Hein!

DECAZE. "Vive l'Empereur!" à plusieurs reprises,[1] et d'une voix de stentor.[2] Le cri a été entendu de plusieurs salons!

LE ROI (*outré*). Qui a osé?...

DECAZE. Je ne sais pas encore. Mais que Votre Majesté compte sur moi! Je le saurai.

LE ROI (*d'un peu haut*). Je l'espère bien.

DECAZE. Vous le voyez, Sire, l'audace des bonapartistes ne connaît plus de bornes. Si vous m'en croyez,[3] vous frapperez si dur qu'ils se tiendront à tout jamais tranquilles.

LE ROI (*le regardant*). Vous allez me proposer encore quelque nouvelle liste de proscription?

DECAZE. Il le faut, Sire. (*Il tire un papier de sa poche.*) Une véritable insurrection a eu lieu à Grenoble[4]...

LE ROI. Je le sais... Eh bien, ne sommes-nous pas maîtres de la révolte?

DECAZE. Oui... mais les anciens maréchaux de l'Usurpateur refusent de prêter serment... de signaler à Votre Majesté les complots dont ils auraient connaissance... Autant dire[5] qu'ils en sont d'avance les chefs désignés...

LE ROI (*avec lassitude*). Ah!...

DECAZE (*tendant le papier*). Voici leurs noms... il serait urgent de les arrêter, dès demain.[6]

[1] *À plusieurs reprises:* repeatedly.

[2] *D'une voix de stentor:* in a stentorian voice.

[3] *Si vous m'en croyez:* if you take my word for it.

[4] GRENOBLE: capitale de l'ancienne province du Dauphiné, située dans les Alpes et sur la rivière Isère à environ six cents kilomètres au sud-est de Paris. Pendant la Restauration des Bourbons une insurrection éclata contre le gouvernement et de nombreux bonapartistes furent fusillés.

[5] *Autant dire:* as well to say.

[6] *Dès demain:* not later than tomorrow.

LE ROI. Punir encore... punir toujours!... (*Prenant lentement le papier et lisant.*) Masséna, Lefèvre, Moncey, Kellermann[1]... les plus grands! (*Rêveur.*) Ce Buonaparte savait s'attacher les hommes...

DECAZE. Alors, Sire?

LE ROI (*froid*). Je réfléchirai, monsieur, et statuerai demain sur leur cas... (*Un silence.*) Heureux Empereur!... Il était entouré de dévouements[2]... Je ne vois autour de moi que jalousies et intrigues. (*Sur un geste de protestation du ministre.*) Je ne dis pas cela pour vous, Decaze!... Les amis de mon frère sont aussi dangereux pour moi que ceux du Corse.[3]

DECAZE (*avec un sourire dédaigneux*). Les Ultras?... Leurs petites conspirations de boudoir sont percées à jour[4]... Ils y ont renoncé. De ce côté-là, Sire, rien n'est à craindre.

LE ROI (*intéressé*). Vous en êtes bien sûr?

DECAZE. Aussi sûr que je suis ministre de la police, Sire.

(*On frappe discrètement au fond.*)

LE ROI (*à* DECAZE). Veuillez voir.

(DECAZE *va ouvrir.* BOUTARD *lui dit quelques mots à voix basse.*)

DECAZE (*revenant*). C'est mademoiselle de Sérignan, à qui Sa Majesté a accordé audience.

LE ROI (*à* BOUTARD). Je vais la voir dans un instant. (BOUTARD *sort.*) Donnez vos ordres, mon cher comte, pour mon départ à la Comédie-Française. Pendant ce temps, je recevrai cette petite.

DECAZE. Votre Majesté a un faible pour cette enfant mal élevée...

[1] MASSÉNA, LEFÈVRE, MONCEY, KELLERMANN: quatre parmi les plus célèbres maréchaux de France qui restent fidèles à la mémoire de l'Empereur.

[2] *Dévouements:* le mot est employé ici pour *gens dévoués*, devoted men.

[3] CORSE: l'épithète de Corse (Corsican) était souvent employé avec mépris (disparagingly) par les ennemis de Napoléon.

[4] *Percées à jour:* démasquées, discovered.

LE ROI. Hé, mon Dieu, les enfants mal élevés ont une qualité.

DECAZE. Laquelle, Sire?

LE ROI. Ils disent tout ce qu'ils pensent... (*Répétant avec intention.*) Tout ce qu'ils pensent!

(DECAZE *salue et sort.* BOUTARD *introduit* NAPOLÉONETTE, *qui s'arrête au fond et fait une grande révérence.*)

SCÈNE III

(NAPOLÉONETTE *est en robe de bal, avec une cape qu'elle ne quitte pas pendant tout l'acte.*)

LE ROI (*gaiement*). Ah! bonsoir, mademoiselle de Sérignan. Je suis content de voir votre aimable visage. Vous m'avez demandé une audience... Pourquoi cela, je vous prie?

NAPOLÉONETTE. Parce que j'ai une grâce à demander à Votre Majesté.

LE ROI. Elle est accordée d'avance.

NAPOLÉONETTE. Oh! d'avance? Il ne faut pas dire ça! (*Elle s'assied machinalement sur une chaise devant le bureau et se relève tout de suite avec un: "Oh! pardon!"*) Eh bien, voilà, Sire... J'ai un grand, très grand intérêt à être émancipée... Si je demande ça à mon oncle, il sera furieux et refusera... Alors, je prie Votre Majesté de vouloir bien user de son influence sur mon oncle pour qu'il m'émancipe volontairement ... et, si ça ne suffit pas, de lui en donner l'ordre.

LE ROI (*amusé*). Fichtre! comme vous y allez![1] ... Et pourquoi donc, mademoiselle, voulez-vous être émancipée?

NAPOLÉONETTE. Afin de disposer de ma fortune comme je l'entends.[2]

LE ROI. Et comment l'entendez-vous?

NAPOLÉONETTE. Je veux en faire deux parts et donner une de ces parts à Roger de Sérignan...

[1] *Fichtre! comme vous y allez!:* my word! you are asking for something.

[2] *Comme je l'entends:* comme je le désire.

LE ROI. Votre cousin?

NAPOLÉONETTE. Parfaitement, Sire!

LE ROI. Ne serait-il pas beaucoup plus simple pour vous de l'épouser?

NAPOLÉONETTE. Ce serait beaucoup plus simple... mais ça me déplairait fort... D'ailleurs il aime quelqu'un.

LE ROI. Puis-je, sans indiscrétion, vous demander qui?

NAPOLÉONETTE. Sans doute, Sire... (*Malicieusement.*) Seulement, moi, je ne peux pas dire qui sans indiscrétion...

LE ROI (*à lui-même*). Nous le saurons. (*À* NAPOLÉONETTE.) C'est quelqu'un qu'il ne peut pas épouser, naturellement?...

NAPOLÉONETTE. Mais si! C'est quelqu'un qu'il peut très bien épouser... à la condition d'avoir de la fortune... et c'est ce que je veux lui donner.

LE ROI. Savez-vous, mademoiselle Napoléonette, que vous n'êtes pas une jeune fille ordinaire!... (*Lui indiquant la chaise.*) Asseyez-vous!

(*Elle s'assied. Le* ROI *lui offre une prise.*)

NAPOLÉONETTE (*gentiment, en souriant*). Non, Sire, jamais le soir!

LE ROI. Vous avez de l'esprit, vous savez le latin, vous dites à votre vieux Roi des choses que personne n'a osé lui dire... et vous vous dépouillez — ou du moins vous voulez vous dépouiller — car ce n'est pas encore fait...

NAPOLÉONETTE. Oh! Sire!... Je supplie Votre Majesté de m'accorder la grâce que je lui demande... Plusieurs fois déjà Votre Majesté m'a invitée à m'adresser à Elle, à lui demander quelque faveur... et, le jour ou je le fais, Votre Majesté a l'air de vouloir mettre des bâtons dans les roues.[1]

(*Elle fait la moue et baisse la tête.*)

LE ROI (*riant*). Si je mets des bâtons, c'est que vous me demandez une chose qui vous sera préjudiciable, à vous... et à moi.

[1] *Mettre des bâtons dans les roues:* to put a spoke in the wheel.

NAPOLÉONETTE. À Votre Majesté? Je ne vois pas...

LE ROI. Votre oncle et votre tante m'obéiront peut-être, mais m'en voudront à mort [1]... Or, des amis, ou plutôt, si vous voulez, des partisans, je n'en ai pas à profusion... je suis entouré d'envieux, d'ennemis, de complots. Jusque [2] dans mon palais on me menace.

NAPOLÉONETTE (*ironique*). Oh! Sire, la police de M. Decaze est pourtant très bien faite.

LE ROI. C'est précisément pour cela qu'il vient de m'avertir, à l'instant encore, de tout ce qui se trame contre moi. Ici même, aux Tuileries, on a osé crier: "Vive l'Empereur!"

NAPOLÉONETTE (*avec un air d'enfant pris en faute*). Vive l'Empereur!

LE ROI. Oui, mademoiselle: "Vive l'Empereur!..." Et sans qu'on ait pu s'emparer des conspirateurs!

NAPOLÉONETTE (*vivement*). Des conspirateurs!... (*Elle voit que sa plaisanterie a été un peu loin, et, toute repentante, avec une forte envie de pleurer, elle se met à genoux, comme une petite fille, sur la chaise en face du* ROI *et murmure, d'une voix entrecoupée, soudain, par des sanglots.*) Je demande pardon à Votre Majesté... les conspirateurs, c'est moi!... C'est moi, moi toute seule, qui ai crié: "Vive l'Empereur!"

LE ROI (*stupéfait*). Vous?

NAPOLÉONETTE. Oui, Sire!

LE ROI. C'est impossible! On m'a affirmé que ce cri avait été poussé d'une voix de stentor. Vous n'avez pas, que je sache, une telle voix?

NAPOLÉONETTE (*séchant ses yeux*). Je vais vous dire: j'ai crié dans un verre de lampe.

LE ROI (*surpris*). Un verre de lampe?

NAPOLÉONETTE. Votre Majesté n'a pas idée de l'effet. (*Prenant un rouleau de carton sur le bureau.*) Tenez, là-dedans,

[1] *M'en voudront à mort:* will bear me a deadly grudge.

[2] *Jusque:* even.

Sire, ça fera la même chose... Criez un peu comme moi: "Vive l'Empereur!"

(*Elle met le rouleau devant la bouche du* ROI.)

LE ROI (*prenant le rouleau et criant machinalement*). "Vive l'Empereur!"

NAPOLÉONETTE (*éclatant de rire*). Oh! Votre Majesté qui a crié: "Vive l'Empereur!"

LE ROI (*furieux, jetant le rouleau*). Qu'est-ce que vous me faites dire là!... (*Il la regarde. En la voyant rire, il se met à rire. Un temps.*) Pourquoi avez-vous fait cela?

NAPOLÉONETTE. Parce que j'avais mes nerfs,[1] Sire! Et puis, cela m'amusait!

LE ROI. Cela vous amuse de tourmenter le Roi?

NAPOLÉONETTE. Pas de tourmenter le Roi... mais de faire des niches[2] à la police... pour ça, oui!... Je ne pensais pas qu'on irait raconter cette bêtise-là à Votre Majesté!... Ah! si Votre Majesté avait vu la galopade dans les escaliers, dans les couloirs... Une frousse générale, quoi!... Comme s'ils[3] allaient trouver l'Empereur installé dans le fauteuil de Votre Majesté!... (*Riant aux éclats.*) Ah! ah! ah!... c'était à mourir de rire.[4]

LE ROI (*ne pouvant s'empêcher de rire aussi*). Petit diablotin!

NAPOLÉONETTE. Votre Majesté va me mettre en pénitence, maintenant...

LE ROI. Vous le mériteriez!

NAPOLÉONETTE. Et ma requête... au panier!... Pourtant — puisque Votre Majesté désire s'attacher les cœurs[5] — en m'autorisant de donner à Roger la moitié de ma fortune, en lui permettant d'épouser mademoiselle...

(*Elle s'arrête vivement.*)

[1] *J'avais mes nerfs:* I had a fit of nerves.

[2] *Faire des niches:* to play pranks.

[3] *Comme s'ils:* just as if.

[4] *C'était à mourir de rire:* it was enough to make you die with laughter.

[5] *S'attacher les cœurs:* to win the hearts of people.

LE ROI (*très intéressé*). Mademoiselle?

NAPOLÉONETTE (*se penchant à l'oreille du* ROI, *qui attend la révélation*). La personne... le Roi s'attache pour toujours ce qu'il y a de mieux [1] dans la maison.

LE ROI. Vraiment?

NAPOLÉONETTE. Et en outre, du même coup,[2] Votre Majesté débarrassera ma famille et le palais de ma présence...

LE ROI. Comment cela?

NAPOLÉONETTE (*changeant de ton, très mélancolique*). Dès que je serai émancipée, je m'en irai d'ici...

LE ROI. Pour aller?...

NAPOLÉONETTE. Votre Majesté veut savoir, absolument?

LE ROI. Je l'exige.

NAPOLÉONETTE. Eh bien, j'irai retrouver mon parrain.

LE ROI (*avec un haut-le-corps*). À Sainte-Hélène?

NAPOLÉONETTE (*gravement*). Oui, Sire.

LE ROI. Mais, mon enfant, vous ignorez ce qu'est Sainte-Hélène ... On ne peut, à votre âge, lier sa destinée à celle d'un proscrit...

NAPOLÉONETTE. J'ai déjà été à l'île d'Elbe, Sire.

LE ROI (*grommelant*). C'est de la folie.

NAPOLÉONETTE (*avec émotion*). Non, Sire, c'est de la fidélité...

(*Un silence.*)

LE ROI (*jouant avec la liste des maréchaux*). C'est ce que disent aussi ceux-là. (*Il tend le papier à* NAPOLÉONETTE *qui le parcourt, pendant que le* ROI, *semblant oublier sa présence, réfléchit longuement... Il regarde à son tour la liste et murmure:*) Des insubordonnés... des ingrats...

NAPOLÉONETTE (*vivement*). Des soldats, Sire!...

LE ROI (*sèchement*). Qu'est-ce que vous voulez dire, par cette affirmation que je devine hostile: "Des soldats, Sire!..." Allons, répondez!

[1] *Ce qu'il y a de mieux:* the best there is.

[2] *Du même coup:* at one stroke.

NAPOLÉONETTE. Je veux dire qu'à mon sens [1] des maréchaux de France ne peuvent pas prononcer un serment qui les abaisserait au rôle de délateur... Ce ne seraient plus des soldats, ce seraient des mouchards.

LE ROI. Mieux vaut donc [2] des soldats qui conspirent contre moi?

NAPOLÉONETTE. Non, Sire, vos véritables ennemis ne sont pas ces fidèles serviteurs du proscrit... Cherchez-les ailleurs!... Cherchez-les — tenez, là où je vais dans un instant — à la soirée de madame de Rémusat!

LE ROI. Que voulez-vous dire?

NAPOLÉONETTE (*continuant*). Ce n'est pas à Sainte-Hélène qu'est le danger pour Votre Majesté... C'est bien plus près ... tout près d'Elle... tout près!

LE ROI. Je sais que le salon de madame de Rémusat est le rendez-vous des mécontents, des Ultras...

NAPOLÉONETTE (*gaiement*). Ça y est! [3] Votre Majesté a mis le doigt dessus.

LE ROI (*répétant les paroles de* DECAZE). Mais leurs petites conspirations de boudoir sont percées à jour: [4] ils y ont renoncé.

NAPOLÉONETTE. Ah! vous croyez!

LE ROI. Vous avez appris quelque chose?

NAPOLÉONETTE (*prudente*). J'ai compris seulement un bout de conversation... très obscure... L'on voudrait voler à Sa Majesté... quelque chose... des papiers — je ne sais pas lesquels — des papiers que Sa Majesté conserve précieusement cachés... une arme que le Roi garde contre d'autres et dont on se servirait contre lui...

LE ROI (*très frappé*). Ah?...

NAPOLÉONETTE. Quelqu'un a été désigné pour ravir au Roi ce trésor.

[1] *À mon sens:* à mon avis, in my opinion.

[2] *Mieux vaut donc:* better then.

[3] *Ça y est:* that's it.

[4] *Percées à jour:* Voyez la note 4, page 57.

LE ROI. Qui? . . . qui donc?

NAPOLÉONETTE (*sur le point de parler, puis se ravisant*). Je ne sais pas, Sire. Mais que Votre Majesté se tienne sur ses gardes.[1] Qu'elle n'écoute rien . . . quand bien même [2] on [3] se jetterait à ses genoux!

LE ROI (*souriant*). Oh! oh!

NAPOLÉONETTE. Ça pourrait bien arriver! . . . Que Votre Majesté ne se laisse embobiner par personne, personne! [4] . . . oh! pardon, Sire!

LE ROI. Pardon pourquoi, mademoiselle?

NAPOLÉONETTE. Pour "embobiner" . . . ça m'a échappé! [5] . . . Je n'ai pas de chance! ça m'échappe tout le temps. (*Léger bruit du côté de la petite porte de droite.*) Tiens!

LE ROI. Quoi donc!

NAPOLÉONETTE (*montrant la petite porte de droite*). On dirait [6] qu'on a gratté par là contre la boiserie.

LE ROI (*très ennuyé, car il a fort bien entendu, et sait parfaitement quelle est la personne qui s'annonce*). Mais non! . . .

NAPOLÉONETTE (*malicieuse, car elle sait aussi qui c'est*). C'est peut-être une souris?

LE ROI (*se levant péniblement de son fauteuil*). Mais non! mais non!

NAPOLÉONETTE. Ce sont de vilaines bêtes! . . .

LE ROI (*traversant la pièce, appuyé sur sa canne*). Mais oui! Mais oui!

NAPOLÉONETTE. J'en ai très peur!

LE ROI. Calmez-vous! (*Gêné.*) Hum! . . . je . . . je crois en effet qu'il y a quelqu'un là. Ce doit être un conseiller intime

[1] *Que Votre M. . . . gardes:* Let Your Majesty be on his guard.

[2] *Quand bien même:* même si, even if.

[3] *On:* someone.

[4] *Ne se laisse embobiner par personne* (F): should not let himself be taken in by anyone.

[5] *Ça m'a échappé:* that was a slip of the tongue.

[6] *On dirait qu':* it seems as if someone were scratching (making a little noise).

qui a sans doute à me parler de quelque affaire d'État. (*Pendant ce temps, le* ROI *a agité la sonnette qui est sur la table de droite.* BOUTARD *apparaît au fond.* *À* BOUTARD.) Reconduisez mademoiselle de Sérignan!

(NAPOLÉONETTE *fait une belle révérence et s'éloigne. Mais, en passant au fond devant* BOUTARD, *elle s'exclame joyeusement d'une voix étouffée.*)

NAPOLÉONETTE. La Zoé ... un conseiller intime! ...

(*Elle hausse les épaules et sort.*)

SCÈNE IV

LE ROI, MADAME DU CAYLA

(*On frappe de nouveau à la petite porte de droite. Le* ROI, *qui est arrivé tout près de cette porte, s'empresse de l'ouvrir et constate avec étonnement que le verrou est mis.*[1])

LE ROI. Qui diable [2] a fermé ce verrou? (*Il ouvre la porte.*) Entrez, entrez, Juliette.

MADAME DU CAYLA (*entrant, d'un air offensé*). Sire, je demanderai d'abord à Votre Majesté en quoi j'ai pu lui déplaire.

LE ROI. Votre Majesté! Voici de grands mots ... je croyais que, lorsque vous entriez par cette petite porte, l'étiquette était bannie de nos entretiens.

(*Il s'assied lourdement sur le canapé.*)

MADAME DU CAYLA. Au temps où vous étiez vraiment épris de votre Juliette, jamais vous ne l'auriez fait attendre vingt longues minutes dans ce petit boudoir.

LE ROI. J'ignorais votre présence ...

MADAME DU CAYLA. Jamais vous n'auriez fermé ce verrou pour m'empêcher d'entrer.

LE ROI (*un peu agacé*). Hé! ce n'est pas moi qui l'ai fermé ...

[1] *Le verrou est mis:* the bolt is on.

[2] *Qui diable!:* who the deuce!

MADAME DU CAYLA (*comprenant qu'elle faisait fausse route* [1]). Mais je ne vous en tiendrai pas rigueur,[2] Sire, car, moi, je vous aime comme au premier jour.

(*Elle vient s'asseoir à côté de lui et laisse tomber sa sortie de bal sur le bras du canapé.*)

LE ROI (*avec un peu de mélancolie*). Oh! . . .

MADAME DU CAYLA. Pourquoi ce "Oh!" Sire? Douteriez-vous de moi . . . de ma loyauté?

LE ROI. Voyez-vous, Juliette, à mon âge, l'affection n'est jamais exempte de crainte . . .

MADAME DU CAYLA. Sire! ne vous ai-je pas donné mille preuves de mon dévouement? Cette cour prude et hypocrite qui nous entoure n'ignore pas, hélas! ce que je suis pour vous! . . .

LE ROI. Mais vous êtes simplement une amie que . . .

MADAME DU CAYLA (*prétendant être fâchée*). Oh! je suis l'amie qu'on flatte mais qu'on méprise . . . Je le sais . . . je le savais d'avance . . . je n'ai pas hésité, cependant! Pourquoi? . . . Parce que je vous aimais.

LE ROI (*malicieusement*). Ou parce que j'étais le Roi.

MADAME DU CAYLA. Comme vous êtes méchant, ce soir! . . .

(*Elle s'éloigne un peu, l'air fâché.*)

LE ROI. Allons, chassez de vos jolis yeux cet air d'indignation . . . qui vous va [3] fort bien, d'ailleurs! . . . Vous dirais-je tout cela, si je ne tenais pas à [4] vous si fortement?

MADAME DU CAYLA. Est-ce vrai, cela, Sire?

LE ROI. À mon âge, l'amour ne se prouve plus guère que par le doute . . . et la jalousie.

MADAME DU CAYLA. De qui, mon Dieu, seriez-vous jaloux!

LE ROI. De tout! . . . de tous! . . . de ces jeunes officiers qui vous entourent, et qui vous font si galamment la cour . . . de celui

[1] *Faisait fausse route:* was following the wrong track.

[2] *Je ne vous en tiendrai pas rigueur:* I shall not bear you any grudge.

[3] *Qui vous va:* which suits you.

[4] *Si je ne tenais pas à:* if I did not care so much for.

que vous m'avez présenté tout à l'heure et avec qui vous aviez, dans les coins, des entretiens si animés...

MADAME DU CAYLA (*semblant être très surprise et se levant du canapé*). Chalindrey?

LE ROI. Oui, c'est Chalindrey, je crois, qu'il s'appelle.

MADAME DU CAYLA. Oh! Louis, pouvez-vous avoir l'idée?... Un homme qui n'a pas trente ans...

LE ROI (*avec bonhomie*). Il m'inquiéterait beaucoup moins s'il en avait soixante...

MADAME DU CAYLA. Du reste, si je causais avec lui tout à l'heure, c'était pour ne point vous déranger, Sire!... car vous étiez vous-même en grande conversation avec la petite de Sérignan...

LE ROI (*riant*). Ah! ah! ah! Vous allez me faire croire que vous êtes jalouse, vous aussi?

MADAME DU CAYLA. Pourquoi pas?

LE ROI (*redevenant sérieux*). Pour cette jeune fille, cette enfant, je ne puis avoir qu'une affection paternelle. Elle m'amuse ... elle me distrait... Si jamais un autre sentiment entrait dans ma pensée, je serais un fort vilain homme.

(*Il se lève et, toujours appuyé sur sa canne, se dirige vers son bureau.*)

MADAME DU CAYLA (*se précipitant pour lui donner le bras*). Là, là! Le voilà qui se fâche! [1] ... (*Il s'assied sur la chaise devant le bureau.*) Faisons la paix, voulez-vous?... Vous savez bien que je suis pour vous une amie fidèle et dévouée.

LE ROI. Votre vieux roi lui aussi ressent pour vous une profonde amitié. Vous êtes pour moi le rayon de soleil qui fait fondre les glaces de ma vieillesse prochaine.

MADAME DU CAYLA (*très tendre*). Mais oui, je suis toute dévouée... et, si je suis venue ce soir, alors que vous ne m'attendiez pas, c'est pour vous en donner encore une preuve.

(*Elle se relève.*)

[1] *Là, là! Le voilà qui se fâche:* now, then! Here he is, getting angry.

LE ROI. Quelle preuve?

MADAME DU CAYLA. N'êtes-vous pas surpris de me voir ici, en grande toilette de bal, quand je devrais être déjà chez madame de Rémusat?

LE ROI. C'est vrai, vous allez à cette soirée, où beaucoup de mes ennemis doivent se trouver, m'a-t-on dit...

MADAME DU CAYLA (*gravement*). C'est de vos ennemis justement que je veux vous parler et d'un danger que vous courez.

LE ROI. Un danger!

MADAME DU CAYLA. Il y a quelques mois, vous souvenez-vous, Sire, d'un secret que vous m'avez confié, dans un moment d'affectueuse expansion?

LE ROI. Un secret?

MADAME DU CAYLA. Oui: vous m'avez rappelé une période un peu... troublée de votre vie... celle où vous conspiriez, prétendant sans espoir,[1] et où vous ne pouviez guère choisir vos partisans...

LE ROI (*dont la figure s'assombrit*). Je prenais ceux qui venaient à moi...

MADAME DU CAYLA. Et tous ceux qui venaient à vous n'avaient pas toujours un passé irréprochable.

LE ROI (*avec une grande émotion*). Pourquoi m'en faire souvenir? oui, j'ai commis dans ma jeunesse un acte coupable, une petite lâcheté: j'ai laissé arrêter, condamner un agent à moi: Favras,[2] que, d'un mot,[3] je pouvais sauver... et, cela,

[1] *Prétendant sans espoir:* a hopeless pretender.

[2] FAVRAS: Thomas de Mahy, marquis de Favras (1744–1790), était au moment où éclata la Révolution française, un officier de la Garde suisse placée sous les ordres du comte de Provence (Louis XVIII). Il devint bientôt l'agent politique de ce dernier et dans le but de faire monter le comte de Provence sur le trône, il organisa une insurrection. Arrêté par les révolutionnaires, il fut condamné à être pendu et mourut sans avoir révélé le nom de celui pour lequel il avait sacrifié sa vie.

[3] *Que d'un mot:* whom with a single word (from me).

je me le reproche encore et me le reprocherai jusqu'à mon dernier jour. Oui, j'ai gardé tout un dossier qui contient le récit de cette lamentable aventure, et vous savez — puisque je n'ai pas de secrets pour vous — vous savez pourquoi je le conserve précieusement.

MADAME DU CAYLA. Parce qu'il en compromet d'autres que vous.

LE ROI (*avec force*). Oui, d'autres que, grâce à cela, je tiens dans ma main, et dont je peux attendre ainsi silence pour silence.

MADAME DU CAYLA. Eh! bien, Sire, ces précieux papiers, ce dossier si dangereux, prenez garde! [1] on vous le volera.

LE ROI. Allons donc! [2]

MADAME DU CAYLA. On vous le volera! Et Dieu sait quel usage d'habiles coquins pourront en faire contre vous!

LE ROI (*pâlissant*). Si cela arrivait, je n'aurais plus qu'à disparaître... à abdiquer en faveur de mon frère.

MADAME DU CAYLA (*pressante*). Louis, je vous en conjure, ne gardez pas ces papiers!

LE ROI (*après un coup d'œil à sa gauche*). Ils sont bien cachés, soyez tranquille.

MADAME DU CAYLA. Jamais assez pour dépister d'audacieux voleurs!... Il ne faut point les conserver aux Tuileries, et, puisque vous ne pouvez pas les brûler...

LE ROI (*vivement*). Cela, non!

MADAME DU CAYLA (*continuant*). Le meilleur moyen est de les remettre secrètement à quelque ami très sûr, qui les cachera soigneusement chez lui, où personne n'aura l'idée de les chercher.

LE ROI. Un roi n'a pas d'ami complètement sûr...

MADAME DU CAYLA. Oh! Louis!... Voilà un mot vraiment cruel!... N'avez-vous pas au moins une amie, la plus sûre des amies?

LE ROI (*doucement*). Vous?

[1] *Prenez garde!:* beware! take care! [2] *Allons donc!:* nonsense!

MADAME DU CAYLA (*très tendre*). Oui, moi . . . moi, Sire, . . . qui vous l'ai prouvé tant de fois, et qui suis prête à vous le prouver encore . . . Donnez-moi ces papiers . . . Confiez-moi ce précieux dépôt. Je vous le garderai fidèlement, jusqu'au jour ou vous n'aurez plus rien à craindre de vos ennemis.

LE ROI. On a toujours tout à craindre!

MADAME DU CAYLA. Sire, c'est pour votre sécurité. Je tremble sans cesse devant cette menace!

LE ROI. Oh! vous exagérez ce péril . . .

MADAME DU CAYLA. De grâce,[1] je vous en supplie, donnez-moi bien vite ces maudits papiers, afin que je les emporte!

LE ROI (*un peu étonné*). Eh bien, oui . . . mais pas ce soir, il est tard . . . (*À lui-même.*) Quelle insistance!

MADAME DU CAYLA (*jouant le tout pour le tout*[2]). Ah! Sire, faut-il pour vous sauver malgré vous que je tombe à vos pieds? . . . (*Elle se jette à ses genoux.*) Tenez! . . . que je vous implore à genoux?

LE ROI (*à part, commençant à comprendre*). Oh! oh! . . . (*Haut.*) Relevez-vous, voyons! (*Presque durement.*) Relevez-vous donc! . . . (*Madame du* CAYLA *se relève.*) On dirait que[3] c'est une grâce que vous venez me demander!

MADAME DU CAYLA (*sur un ton faussement douloureux*). Moi, Sire!

LE ROI. Hé oui, vous! . . . (*Il la considère avec une sorte de douloureuse compassion.*) Vous! (*Répétant, sur un autre ton.*) Vous!

(*Un silence. Il agite la sonnette qui est sur son bureau.*)

MADAME DU CAYLA. Vous appelez?

(*Vaguement inquiète, et comprenant qu'elle a manqué son coup,*[4] *elle reprend sa sortie de bal, qu'elle jette lentement sur ses épaules.*)

[1] *De grâce!:* for pity's sake!

[2] *Jouant le tout pour le tout:* staking everything.

[3] *On dirait que:* one would think, it looks as if.

[4] *Manqué son coup:* failed in her attempt.

LE ROI (*froidement*). Oui. Je vais à la Comédie-Française, et vous, chez madame de Résumat. Nous ne pouvons prolonger cet entretien. Nous reparlerons de tout cela plus tard. Rien ne presse.[1] (BOUTARD *apparaît sur la porte du fond.*) Reconduisez madame la comtesse, et priez le comte Decaze de venir me parler tout de suite! (*À ce nom de* DECAZE *madame du* CAYLA *a un mouvement d'effroi.*) Au revoir, comtesse. À demain!

MADAME DU CAYLA (*dans une révérence*). Bonne nuit, Sire... (*À part, avec une colère contenue.*) Ah!

(*Elle sort.* BOUTARD *referme la porte.*)

SCÈNE V

LE ROI, *seul, puis* LE COMTE DECAZE

(*Scène muette. Il suit longuement madame du* CAYLA *du regard,*[2] *l'air un peu triste, puis il essaie de réagir. On voit qu'il veut chasser un soupçon très précis. Il y parvient, il sourit même et, en se rasseyant dans le grand fauteuil derrière son bureau, il murmure ces quelques paroles.*)

LE ROI. "Que Votre Majesté ne se laisse pas embobiner par personne!" (*Un silence. Puis avec une certaine satisfaction tout en prenant une prise de tabac.*) Je ne me suis pas laissé "embobiner"!... (*On frappe à la porte du fond, qui s'ouvre, et* BOUTARD *introduit le comte* DECAZE.) Ah! monsieur le ministre!... Venez!... Venez vite!

DECAZE (*empressé*). J'accours aux ordres de Votre Majesté... Mais, Sire, n'en avez-vous donc pas fini [3] avec mademoiselle de Sérignan?

LE ROI. Si!

DECAZE. C'est [4] qu'elle est encore là, dans le salon...

[1] *Rien ne presse:* il n'y a rien d'urgent, there is nothing urgent.

[2] *Il suit longuement du regard:* he follows her with his gaze for a long time.

[3] *N'en avez-vous donc pas fini?:* well! are you not yet done?

[4] *C'est que:* c'est parce que.

LE ROI. Cela importe peu pour l'instant... (*Ironique.*) Ah! monsieur le ministre de la police, laissez-moi vous féliciter!

DECAZE (*avec un sourire, s'inclinant*). Comment, Sire, ai-je mérité?...

LE ROI (*ironique*). Par votre perspicacité! Ce sont les bonapartistes, disiez-vous, qui conspirent?... C'est contre eux qu'il faut me défendre?... Alors, prenez toutes les précautions d'usage, ce soir, pour mon escorte, et même plus encore, vous ferez bien... Mais ce ne sera pas contre les partisans du Buonaparte!

DECAZE. Contre qui donc, alors?

LE ROI (*sèchement*). Contre les Ultras, qui s'agitent, et n'ont qu'un seul désir: se débarrasser de ma personne et couronner à ma place, mon frère... contre les Ultras, qui ne reculeront pour cela devant rien,[1] même devant un vol.

DECAZE. Un vol?

LE ROI. Oui, monsieur... j'ai été averti qu'ils cherchaient à ravir ici... (*Hésitant brusquement.*) quelque chose de très précieux. (DECAZE *ne bronche pas.*) Mais vous ne pourriez deviner quel est l'émissaire qu'ils m'ont envoyé pour cela... (*Amèrement.*) La dernière personne que j'aurais pu soupçonner d'être leur complice... quelqu'un qui me touche de près[2]... de très près.

DECAZE (*comprenant brusquement*). Ah!

(*Petit sursaut. Le* ROI *et lui se regardent.*)

LE ROI. Il me restait bien peu d'illusions[3]... Et voici l'une des dernières qui s'en va!

DECAZE. Si vraiment Votre Majesté est sûre de la trahison de ... cette personne, ne peut-elle pas l'exiler bien loin, dans un de ses châteaux?

[1] *Qui ne reculeront devant rien:* will shrink from nothing.

[2] *Me touche de près:* is very near to me.

[3] *Il me restait bien peu d'illusions:* I had very few illusions left.

LE ROI. L'exiler, dites-vous? . . . Le véritable exilé, alors, ce serait moi-même.

DECAZE. Cependant, Sire, il serait plus prudent . . . plus raisonnable . . .

LE ROI (*souriant tristement*). Raisonnable, à mon âge! . . . Ah! qu'il est triste de vieillir et d'être Roi . . . On ne peut plus être aimé . . . et l'on peut encore être trahi.

(*Un long silence pénible.*)

DECAZE (*essayant de changer de sujet et de distraire son vieux* Roi). Nous sommes tous trahis, Sire, plus ou moins. Ne le suis-je pas moi-même? Et de ce que je viens d'apprendre de votre auguste bouche, ne puis-je pas conclure que quelqu'un d'autre [1] fait la police pour Votre Majesté?

LE ROI (*souriant à nouveau*). C'est vrai.

DECAZE (*avec malice*). Alors, Sire, peut-être ferais-je bien de remettre entre les mains de cet adroit informateur le portefeuille de la police.

LE ROI (*reprenant sa gaîté*). Voilà une bonne idée . . . (*Il sonne.* BOUTARD *apparaît.*) Mademoiselle de Sérignan est-elle toujours dans le salon?

BOUTARD. Oui, Sire.

LE ROI (*qui s'est levé*). Faites-la entrer. (BOUTARD *s'incline et sort.*) Nous allons régler cela tout de suite! (NAPOLÉONETTE *apparaît sur la porte.*) Entrez, petite! (*À* DECAZE.) Voilà votre successeur . . . (*Riant franchement.*) Rassurez-vous . . . je n'accepte pas votre démission . . . j'ai besoin de vous pour arrêter le dangereux conspirateur qui a crié ce soir: "Vive l'Empereur!" (NAPOLÉONETTE *baisse le nez* [2] *en souriant.*) N'est-ce pas, mademoiselle de Sérignan?

(*Le* ROI *lui tire l'oreille.*)

DECAZE. Quoi? C'était? . . .

LE ROI. C'était une farce! (*Il donne un petit soufflet amical à*

[1] *Quelqu'un d'autre:* some other person.

[2] *Baisse le nez:* lowers her eyes.

NAPOLÉONETTE *et s'assied sur le canapé.*) Serrez la main de votre rival... Je serais fâché qu'il y eût un nuage entre vous, car, en vérité, je crois qu'il n'y a que vous deux, aux Tuileries, qui m'aimiez un peu. (DECAZE *serre affectueusement la main que lui tend* NAPOLÉONETTE *en s'inclinant. À* DECAZE.) Dans un quart d'heure nous partons, mon cher comte. (DECAZE *sort.*)

SCÈNE VI

LE ROI, NAPOLÉONETTE

LE ROI (*demi-souriant et demi-grondeur* [1]). Approchez, petite fille... plus près... (NAPOLÉONETTE *approche en baissant la tête.*) Levez le nez, s'il vous plaît, et regardez-moi! (NAPOLÉONETTE *le regarde.*) Et veuillez me dire pourquoi vous êtes restée dans le salon d'attente au lieu de rejoindre votre tante chez mademoiselle de Rémusat?

NAPOLÉONETTE. Je... Je ne sais pas... Sire!

LE ROI. Si, si vous savez très bien...

NAPOLÉONETTE. Eh! bien... (*Se décidant.*) Je voulais voir sortir le conseiller intime de Votre Majesté.

LE ROI (*la menaçant du doigt*). Curieuse! [2]

NAPOLÉONETTE (*vivement*). Oh! non, Sire!... Ce n'est pas par curiosité... Qu'est-ce que ça me fait,[3] à moi, que vous receviez... un conseiller ou un autre?... Je n'ai pas à me mêler de ces choses-là, moi. Seulement, je voulais voir quelle tête il ferait [4] en sortant.

LE ROI (*la regardant*). Ah!...

NAPOLÉONETTE. Et comme il avait l'air plutôt ennuyé, le con-

[1] *Demi-grondeur:* half scolding.

[2] *Curieuse!:* you inquisitive little girl!

[3] *Qu'est-ce que ça me fait?:* what does it matter to me?

[4] *Quelle tête il ferait!:* what a face he would make!

seiller intime, j'étais toute contente... et je me disais: "Vais-je entrer, ou ne vais-je pas entrer?"... En somme, pensais-je, j'en ai assez dit au Roi. Sa Majesté est prévenue, elle n'a qu'à ne pas se laisser...

LE ROI (*achevant*). ... embobiner.

NAPOLÉONETTE. Voilà! [1] ... C'est bien simple.

LE ROI. Rien n'est simple pour moi... *Væ soli!* [2]

NAPOLÉONETTE (*protestant*). Le Roi n'est pas seul: il a des gens dévoués autour de lui... M. Decaze, par exemple...

LE ROI. M. Decaze doit, lui surtout, ignorer cette affaire. (*À lui-même.*) Je ne veux pas avoir à rougir devant un de mes ministres. (*Plus haut.*) Et, en dehors de lui,[3] je ne vois pas.

NAPOLÉONETTE. Eh bien! et moi?

LE ROI (*la regardant affectueusement*). Vous?

NAPOLÉONETTE. Je sais bien que moi, je ne compte pas beaucoup... (*Résolument, après une courte hésitation.*) Mais je pourrais tout de même emporter des papiers... et les brûler ou les cacher, comme on voudrait...

(*Le* ROI *et la jeune fille se regardent.*)

LE ROI (*murmurant comme à lui-même*). Les cacher, oui, c'est cela qu'il faudrait!

NAPOLÉONETTE. Eh! bien alors?...

LE ROI. Les cacher dans un autre endroit, un endroit sûr, où nul de ces messieurs ne soupçonnerait leur présence...

NAPOLÉONETTE. Je peux très bien faire ça... (*Le* ROI *lève la tête et la regarde un moment sans rien dire.* NAPOLÉONETTE *le regarde aussi et pousse un petit cri.*) Ah! je sais ce que Votre Majesté pense!

LE ROI. Vraiment?

NAPOLÉONETTE. Votre Majesté pense en ce moment: "Cette

[1] *Voilà:* c'est ça, that's it.

[2] *Væ soli!:* malheur à l'homme seul! woe to the man who is alone!

[3] *En dehors de lui:* outside of him.

petite m'a recommandé de ne me laisser embobiner par personne... Qui me dit qu'elle aussi n'est pas?"[1]...

LE ROI (*vivement*). Vous êtes un petit démon!... Oui, c'est vrai, j'ai pensé cela.

NAPOLÉONETTE (*sans prendre le temps de réfléchir*). Ce n'était pas fort[2]... (*Sur un mouvement du roi.*) Oh! pardon, Sire ... Je veux dire respectueusement que Sa Majesté avait tort.

LE ROI (*ne pouvant s'empêcher de sourire*). Pourquoi cela?

NAPOLÉONETTE (*avec fougue*). Si on conspirait pour l'Empereur, oui, peut-être j'en serais![3] Mais conspirer avec les Ultras, moi?... Moi qui ne peux pas les souffrir... Si j'étais capable d'une action aussi vile, je me mépriserais moi-même.

LE ROI (*la regardant avec émotion*). Oui, ces grands yeux clairs sont francs et honnêtes... Vous seule, ici, m'avez toujours dit la vérité.

NAPOLÉONETTE (*baissant le nez*). Je n'ai peut-être pas toujours eu raison.

LE ROI. Si fait[4]... (*Un temps. Se levant.*) J'accepte ce que vous me proposez... Vous m'aurez défendu jusqu'au bout contre mes ennemis... (*plus bas*) et contre moi-même! (*Il se dirige vers son bureau.*) Je vais vous remettre ces lettres tout de suite car j'ai hésité tout à l'heure, mais qui sait si, demain... Je vais vous indiquer où je les ai enfermées.

NAPOLÉONETTE. Si Sa Majesté veut me donner la clef, pour qu'elle n'ait pas à se déranger.

LE ROI (*fatigué de son effort, s'asseyant dans le fauteuil derrière son bureau*). Il n'y a pas de clef. Allez jusqu'au mur, là-bas. Bien! Vous voyez des moulures, des feuilles de lauriers au-dessous de la tapisserie?

[1] *Qui me dit... n'est pas...?:* who can assure me that she is not also in the plot?

[2] *Fort:* clever.

[3] *J'en serais: de la conspiration* est sous-entendu: "I should be in it."

[4] *Si fait:* yes, indeed.

NAPOLÉONETTE. Oui, Sire . . . je vois même un aigle [1] en bois sculpté.

LE ROI (*avec une grimace*). Oui . . . je n'ai pas encore eu le temps de le faire effacer. Tournez la dernière feuille de gauche à droite.

(*Elle tourne la feuille. Un panneau s'ouvre et découvre, dans le mur, une cachette où est le coffret.*)

NAPOLÉONETTE. Ah! . . . ce coffret?

LE ROI. Prenez-le et posez-le sur ma table. (NAPOLÉONETTE *ayant fait ce qu'il dit, il ouvre le coffret et le considère avec émotion.*) Tout mon honneur de souverain, tout le repos de ma vieillesse, tiennent dans [2] ce petit carton gris . . . Je vous confie ces papiers, où allez-vous les mettre?

NAPOLÉONETTE (*essayant plusieurs endroits sur sa personne*). Non, pas là . . . Ça se verrait [3] . . . (*Elle essaie par derrière.*) Non, ça me gênerait trop: je ne pourrais plus m'asseoir ni danser.

LE ROI. Alors, où les mettre?

NAPOLÉONETTE. Ça y est [4] . . . j'ai l'idée!

(*Elle roule les papiers en un gros rouleau qu'elle attache avec une ficelle et les met dans son sac à main qu'elle porte au bras. La moitié du rouleau sort du sac, bien en vue.*)

LE ROI. Malheureuse, mais on les voit!

NAPOLÉONETTE. Justement, Sire. Jamais on ne croira que j'emporte, comme ça, quelque chose que je veux cacher.

LE ROI. Très juste, mais maintenant où allez-vous les emporter?

NAPOLÉONETTE. Chez moi, dans ma petite chambre.

LE ROI. Mais il faut arriver, sans encombre, à cette petite chambre. Et ne devez-vous pas vous rendre ce soir chez madame de Rémusat?

[1] *Aigle:* allusion à l'aigle impérial de Napoléon.

[2] *Tiennent dans:* are wrapped up in.

[3] *Ça se verrait:* that would be seen.

[4] *Ça y est:* I have it.

NAPOLÉONETTE. Je vais y aller tout de même, Sire, et tout de suite, pour ne pas éveiller les soupçons.

LE ROI. Pourvu qu'ils ne le soient pas déjà! [1] Qui me dit [2] qu'en sortant d'ici vous ne serez pas épiée, suivie? . . .

NAPOLÉONETTE. C'est bien possible.

LE ROI. Je ne veux pas que vous alliez seule là-bas. Je vais faire demander le comte Decaze, pour qu'il attache à votre personne un homme de toute confiance . . .

NAPOLÉONETTE (*sautant de joie*). Attendez, Sire, j'ai ce qu'il faut! Un vieil ami à moi, qui est à la Cour.

LE ROI. Le vicomte Roger de Sérignan?

NAPOLÉONETTE. Bien mieux, Sire.

LE ROI. Le duc d'Agay, peut-être?

NAPOLÉONETTE. Bien mieux que ça. Voulez-vous me permettre, Sire? (*Elle prend la sonnette et sonne violemment.*) Je vais vous le présenter.

SCÈNE VII

LE ROI, NAPOLÉONETTE, BOUTARD

BOUTARD *paraît*

NAPOLÉONETTE (*allant chercher* BOUTARD). Mon vieux, viens ici, que je te présente à Sa Majesté.

LE ROI (*interloqué*). Hein?

NAPOLÉONETTE (*présentant* BOUTARD). Voilà! Sire, l'homme de toute confiance.[3]

LE ROI. Ce laquais? Vous connaissez ce laquais?

NAPOLÉONETTE. Oh! . . . comme ma poche.[4] C'est un vieil ami.

LE ROI (*de plus en plus stupéfait*). Un vieil ami?

NAPOLÉONETTE. Et fidèle et dévoué . . .

[1] *Pourvu qu'ils ne le soient pas déjà:* I hope that they are not aroused yet.

[2] *Qui me dit?* Voyez la note 1, page 76.

[3] *De toute confiance:* very trustworthy (man).

[4] *Comme ma poche:* like my own mother.

LE ROI. Comment?

NAPOLÉONETTE. C'était l'ordonnance de mon pauvre papa.

LE ROI. Soit! On peut compter sur lui?

NAPOLÉONETTE. Si on peut! (*Se tournant vers* BOUTARD *et à demi-voix.*) Dis donc, le Roi demande si on peut compter sur toi!

BOUTARD (*ému, bafouillant*). Ah! pour ça, Votre Sire[1]... (*Coup de coude de* NAPOLÉONETTE.) Votre Majesté peut compter sur moi... Foi de Boutard! (*Nouveau coup de coude.*) Foi de Joseph!

LE ROI. Mademoiselle va accomplir une mission délicate, difficile. Êtes-vous l'homme à l'accompagner, à veiller sur elle?

BOUTARD (*avec énergie*). Veiller sur elle? Mais cette petite-là, voyez-vous, on me tuerait plutôt que de toucher à un seul de ses cheveux.[2]

LE ROI. C'est bien... Prenez un chapeau et un manteau, et vous monterez derrière le carrosse de mademoiselle de Sérignan. (BOUTARD *sort. Très ému, à* NAPOLÉONETTE.) Ma chère petite, je vous remercie de tout mon cœur très reconnaissant. Je n'oublierai pas ce que vous avez fait pour moi, et si, un jour, vous avez à me demander une...

NAPOLÉONETTE. Je travaille *ad honores*,[3] Sire.

LE ROI. Pour l'honneur, c'est très bien. (*Elle va sortir; il se lève et la rappelle.*) Attendez, vous avez oublié un papier.

(*Il prend sur la table la liste des maréchaux.*)

NAPOLÉONETTE (*revenant*). Encore un papier? (*Elle le regarde.*) Ah!... la liste des maréchaux...

LE ROI (*négligemment*). Je ne sais pas... je veux oublier ce qu'il y avait là-dessus... Faites-en ce que vous voudrez...

[1] *Ah! pour ça, Votre Sire:* ah! quant à ça, Sire. Le pauvre Boutard pense que puisque l'on dit Votre Majesté, on doit dire aussi Votre Sire.

[2] *Que de toucher à un seul de ses cheveux:* que de lui faire le moindre mal.

[3] *Ad honores:* pour l'honneur, for honor.

NAPOLÉONETTE (*très émue*). Ah! Sire!

LE ROI. Celui-là, vous pouvez le brûler!

NAPOLÉONETTE (*avec joie*). Ah! Sire! Sire!

(*Et, tandis que le* ROI *la regarde avec un sourire attendri, la petite* NAPOLÉONETTE *s'en va, à reculons, en relisant avec une émotion qui lui met des larmes dans la voix les noms qui sont sur la liste:* MASSÉNA, LEFÈVRE ... MONCEY ... KELLERMANN ... *pendant que le rideau baisse lentement.*)

RIDEAU

ACTE TROISIÈME

(*Une grande salle dans l'hôtel de madame de* RÉMUSAT.)

SCÈNE I

LE MARQUIS, LA MARQUISE, LE DUC D'AGAY, LES DEMOISELLES D'HONNEUR, *sauf* HÉLÈNE, *puis* HÉLÈNE, *puis* ROGER

(*Au lever du rideau, plusieurs personnes en scène suivent le concert qui se termine dans le grand salon. Une harpiste achève un morceau. Applaudissements.*)

MADAME DE RÉMUSAT (*sortant du salon*). Eh bien, que dites-vous de ma harpiste?

LA MARQUISE. Nous sommes sous le charme.

LE MARQUIS. Sous le charme est l'expression absolument juste.

MADAME DE RÉMUSAT. J'aurais voulu maintenant faire admirer, à nos invités, votre aimable nièce qui danse si joliment, mais elle n'est pas encore là. Comment se fait-il? [1] . . .

(*Un orchestre commence à jouer une contredanse dans le salon à côté, fond gauche.*)

LA MARQUISE. Sa Majesté lui a accordé une audience ce soir.

LE MARQUIS (*avec mystère*). Oui . . . Sa Majesté . . . une audience.

LA MARQUISE. Et mon carrosse doit l'amener ici aussitôt après.

MADAME DE RÉMUSAT. Alors, ce sera pour tout à l'heure. Allons, retournons au salon, la contredanse nous réclame. (*Le duc d'*AGAY *et les demoiselles d'honneur sortent peu à peu.*) Si toutefois ces messieurs préfèrent une partie de nain jaune il y a là, sur cette table, tout ce qu'il faut. Mais, voici

[1] *Comment se fait-il? . . .*: (*qu'elle ne soit pas ici?*): how is it . . . that she is not here?

mademoiselle de Chéneçay! (HÉLÈNE *entre par le fond à droite.*) Bonsoir, mademoiselle.

HÉLÈNE (*avec une révérence*). Bonsoir, madame.

MADAME DE RÉMUSAT. Vous arrivez fort à point,[1] ma chère petite. Le bal commence. Mais que vous êtes donc jolie dans cette petite robe!

HÉLÈNE (*modeste*). Oh! madame...

MADAME DE RÉMUSAT (*aux* SÉRIGNAN). N'est-ce pas qu'elle est délicieuse?

LA MARQUISE (*sèchement*). Délicieuse!

LE MARQUIS (*même jeu*). Délicieuse!

(*Et tous les deux tournent le dos.*)

MADAME DE RÉMUSAT (*voyant* ROGER *sortir des salons par la porte du premier plan gauche*). Monsieur Roger de Sérignan, voulez-vous, je vous prie, offrir bien vite votre bras à mademoiselle de Chéneçay pour la faire danser.

(ROGER, *ravi, se précipite. Un coup d'œil terrible de ses parents le cloue sur place.*[2])

ROGER (*changeant d'attitude et hypocritement glacial*). Je suis au regret,[3] madame, mais j'ai promis à ma cousine Napoléonette de l'attendre pour ouvrir le bal! J'allais même[4] de ce pas à sa rencontre.

(*Il sort au fond à droite, en s'inclinant légèrement devant* HÉLÈNE.)

LA MARQUISE (*au marquis*). Très bien!

LE MARQUIS (*même jeu*). Très bien!

HÉLÈNE (*prenant un air digne*). Mais, madame, je n'ai besoin du bras de personne; j'ai promis, moi aussi, ma première danse à M. le duc d'Agay. (*Elle sort à gauche.*)

MADAME DE RÉMUSAT (*aux* SÉRIGNAN). Voilà des jeunes gens

[1] *Fort à point:* juste à temps, just in time.

[2] *Clouer sur place:* to transfix, root to the spot.

[3] *Je suis au regret:* je regrette.

[4] *J'allais même de ce pas:* and I was just going.

qui n'ont pas l'air d'avoir l'un pour l'autre une bien grande sympathie.

LE MARQUIS (*bas, à sa femme*). C'est que nous y avons mis bon ordre.

MADAME DE RÉMUSAT (*continuant, en sortant*). . . . et ça m'étonnerait fort que ça finît par un mariage.

LA MARQUISE. Cela nous étonnerait fort aussi.

LE MARQUIS. Fort aussi.

(*Ils sortent au fond à gauche. La scène est vide. On entend la musique de danse.*)

SCÈNE II

HÉLÈNE, ROGER

(*Un temps.* ROGER *rentre de droite, regarde s'il n'y a personne et appelle.*)

ROGER. Hélène!

HÉLÈNE (*sortant de gauche*). Roger!

ROGER. Ils sont entrés dans le salon?

HÉLÈNE. Oui.

ROGER (*répétant ses paroles de tout à l'heure*). Je suis au regret, madame, mais j'ai promis à ma cousine Napoléonette de l'attendre pour ouvrir le bal.

HÉLÈNE (*même jeu*). Mais, madame, je n'ai besoin du bras de personne, j'ai promis, moi aussi . . . (*Ils éclatent de rire.*)

ROGER. Avez-vous vu la figure de mes parents pendant notre petite comédie?

HÉLÈNE. Oui.

ROGER. Ils jubilaient.

HÉLÈNE. C'est peut-être mal, Roger, de se moquer d'eux!

ROGER. Ce n'est pas mal du tout. Et puis tant pis, c'est leur faute.

HÉLÈNE. Mais s'ils arrivaient [1] à se douter . . .

[1] *S'ils arrivaient à:* if they happened to.

ROGER. Cela m'étonnerait. Ils ne sont pas très malins.

HÉLÈNE. Oui, mais ils seraient furieux.

ROGER (*imitant son père*). Furieux, comme vous le dites si excellemment.

(*Un temps. On entend la musique pendant toute la scène des jeunes gens.*)

HÉLÈNE. Il va falloir se quitter.

ROGER. Non, restez... j'ai encore tant de choses à vous dire... Venez ici... là, dans ce petit coin, nous serons bien...

HÉLÈNE. Mais des gens vont passer...

ROGER. Je vous en prie... Quelques minutes encore... Quelques petites... toutes petites minutes... Le temps de vous dire que je n'ai jamais vu personne de plus joli que vous, que je vous aime follement... que je n'ai qu'un désir: devenir l'heureux mari de la plus charmante des femmes.

HÉLÈNE. Roger!

(*On entend un bruit de voix à droite, au fond, dans le vestibule.*)

HÉLÈNE (*se levant*). Oh! quelqu'un!

ROGER (*la retenant*). Mais...

HÉLÈNE. On a dû nous voir![1]

ROGER. Ne tremblez pas comme ça!

HÉLÈNE. Laissez-moi, Roger. À demain.

ROGER. À demain.

(*Ils s'enfuient chacun par une des deux portes de gauche.*)

SCÈNE III

SOSTHÈNE, MAUBREUIL, *puis* GIACOMI

SOSTHÈNE (*entrant avec* MAUBREUIL). Voilà des amoureux que nous mettons en fuite! Mais, dites-moi, ce Giacomi que vous avez amené... il ne nous rejoint pas...

[1] *On a dû nous voir:* they must have seen us.

MAUBREUIL. Patience[1] ... il va venir. Mais il était prudent qu'il n'ait pas l'air d'être avec nous.

SOSTHÈNE. Qu'est-ce, au juste, que cet homme?

MAUBREUIL. C'est un homme ... à tout faire[2] ... et qui peut nous être utile.

SOSTHÈNE. Mais un peu compromettant d'aspect ... on dirait un bandit.[3]

MAUBREUIL. Dame! pour les grosses besognes,[4] il faut bien de ces gens-là!

SOSTHÈNE. Vous nous l'avez présenté comme le chevalier Giacomi?

MAUBREUIL. Il est vraiment chevalier, mon cher ... Mais c'est si facile à Naples d'être chevalier! Le voici!

GIACOMI (*entrant. Type et accent italiens, figure un peu rude. Élégance de mauvais goût*). Per Bacco![5] Je ne savais plus où vous étiez passés. (*D'un ton plus bas.*) La dame n'est pas venue?

SOSTHÈNE (*même jeu*). Pas encore.

GIACOMI. Mais elle doit venir?

SOSTHÈNE. Aussitôt qu'elle aura vu le Roi.

MAUBREUIL (*regardant autour de lui*). Mais on peut nous écouter ... Installons-nous plutôt à cette table, faisons semblant[6] de jouer. Des joueurs n'attirent pas l'attention.

(*Ils s'installent à la table de jeu, au premier plan à droite.*)

SOSTHÈNE. Vous croyez qu'il y a des espions par ici?

MAUBREUIL. On ne sait jamais.

GIACOMI. Vous avez raison.

MAUBREUIL (*tout en jouant*). Ici nous sommes bien placés.

[1] *Patience:* soyez patient, be patient.

[2] *À tout faire:* prêt à faire n'importe quoi, ready for anything.

[3] *On dirait un bandit:* on pourrait le prendre pour un bandit.

[4] *Pour les grosses ... gens-là:* for dirty work such people are necessary.

[5] *Per Bacco!* (Italian): By Bacchus!

[6] *Faisons semblant:* let us pretend.

Les invités qui arrivent sont obligés de traverser ce salon. Nous ne manquerons pas la belle comtesse.

SOSTHÈNE. Et nous saurons tout de suite si elle a réussi.

GIACOMI. Si elle a les papiers.

MAUBREUIL. Si elle a pu les extorquer au Roi, quel coup de maître!

GIACOMI (*peu enthousiasmé*). Peuh!...

MAUBREUIL. Ne prenez pas cet air dégoûté! Ce moyen machiavélique d'amener un monarque à quitter de lui-même sa couronne sous peine d'être déshonoré publiquement, c'est...

GIACOMI. C'est compliqué... Un bon coup de force [1] était plus simple!... Et si vous m'aviez consulté...

SOSTHÈNE (*sèchement*). Mais on ne vous a pas consulté!

GIACOMI. Bon...bon!

SOSTHÈNE. Une fois ce dossier entre nos mains, nous dépêchons Vitrolles près de qui vous savez, afin de l'avertir que nous sommes prêts. (*Prêtant l'oreille.*[2]) Attention! (*Changeant de ton.*) À vous de donner,[3] chevalier! (*À* MAUBREUIL.) Vous avez une chance incroyable, je ne peux arriver à vous gagner.

MAUBREUIL (*apercevant la comtesse qui entre*). Inutile de prendre tant de peine, c'est madame du Cayla.

SOSTHÈNE. Ah! enfin! (*Ils se lèvent.*)

SCÈNE IV

Les mêmes, MADAME DU CAYLA

MADAME DU CAYLA (*entrant avec son manteau, suivie d'un laquais*). Comment, Maubreuil, La Rochefoucauld, et vous, Chevalier, déjà aux tables de jeu! Vous êtes incorrigibles!

[1] *Coup de force:* cette expression est aussi employée en anglais et signifie accomplir une action quelconque en employant la force.

[2] *Prêtant l'oreille:* lending an attentive ear.

[3] *À vous de donner:* your turn to deal.

MAUBREUIL. Nous vous attendions pour entrer dans le bal, comtesse.

MADAME DU CAYLA. Vraiment, il fait très chaud, ici ... rangez cela avec mon manteau.

(*Elle se débarrasse d'une écharpe, la donne au domestique qui sort. Un silence.*)

MAUBREUIL (*vivement*). Eh! bien?

MADAME DU CAYLA (*se rapprochant des trois Ultras*). Je n'ai pas réussi.

MAUBREUIL. Le Roi vous a refusé les papiers?

MADAME DU CAYLA. Ce n'est pas faute [1] pourtant d'avoir été persuasive.

SOSTHÈNE. L'appât [2] — était pourtant bien séduisant.

MADAME DU CAYLA (*agacée*). Pas de fadeurs, je vous en prie.

MAUBREUIL. Alors ... tout est à recommencer une autre fois?

MADAME DU CAYLA. Une autre fois, je n'aurai pas davantage les papiers! [3]

SOSTHÈNE. Comment cela?

GIACOMI. Pourquoi?

MADAME DU CAYLA. Parce que le Roi ne les a probablement plus à l'heure qu'il est. [4]

MAUBREUIL. Il les a brûlés?

SOSTHÈNE. Les brûler ... vous savez bien pourquoi cela lui est impossible.

MADAME DU CAYLA. Impossible, en effet. Mais il a pu les donner ...

SOSTHÈNE. Les donner?

MADAME DU CAYLA. Oui, les confier à quelqu'un d'autre pour

[1] *Ce n'est pas faute de, etc.:* it is not for want (lack) of having been persuasive.

[2] *Appât:* Sosthène gives to this word a double meaning. The two words *appât* and *appas*, have the same pronunciation; the first means bait and the second means physical charm.

[3] *Je n'aurais pas davantage les papiers:* I shall not succeed any better in getting the papers.

[4] *A l'heure qu'il est:* à l'heure présente, at the present moment.

qu'on les mette en lieu sûr. Car le Roi, messieurs, se doute de quelque chose... Pensez-vous que, seul contre moi, il aurait pu résister?... Non, non... il était prévenu.

MAUBREUIL. Mais par qui?

MADAME DU CAYLA. Est-ce qu'on sait? Peut-être par cette petite peste de Sérignan qui se permet d'avoir une influence sur Sa Majesté.

SOSTHÈNE (*méprisant*). La petite Napoléonette!

MADAME DU CAYLA. Elle était avant moi chez le Roi. L'a-t-elle mis sur ses gardes?... Toujours est-il [1] que le Roi, si docile d'ordinaire, était tout différent aujourd'hui.

MAUBREUIL. Comment saurait-elle?...

MADAME DU CAYLA. Cette petite effrontée est maligne comme un singe. Elle sait tout ce qui se passe. Elle est toujours partout. Un mot peut l'avoir mise sur la piste. Enfin, quand je suis sortie, elle était là, dans l'antichambre, attendant...

SOSTHÈNE. Attendant quoi?

MADAME DU CAYLA (*continuant*). ... et une idée m'est venue: cette péronnelle était bien capable de se charger des papiers, de les emporter et de les cacher.

GIACOMI (*furieux*). Mais il fallait alors ne pas la perdre des yeux [2]... les lui faire rendre coûte que coûte.[3]

MADAME DU CAYLA (*le toisant d'un air un peu méprisant*). Belle besogne à faire moi-même, n'est-ce pas? Mais j'ai chargé quelqu'un d'autre de la surveiller.

MAUBREUIL. Qui ça?

MADAME DU CAYLA. Vitrolles, qui m'avait accompagnée aux Tuileries, et qui devait me reconduire ensuite ici. Je l'ai laissé, avec mission de rencontrer cette petite sous un prétexte quelconque...

[1] *Toujours est-il:* the fact remains.

[2] *Ne pas la perdre des yeux:* not to let her get out of sight.

[3] *Coûte que coûte:* at any cost.

SOSTHÈNE. Je suis tranquille,[1] il en trouvera un bon.

MADAME DU CAYLA (*continuant*). ... de monter avec elle dans le carrosse des Sérignan et de l'accompagner ici directement.

MAUBREUIL. Très bien!

SOSTHÈNE. Bravo.

GIACOMI. *Bella combinazione!* [2]

MADAME DU CAYLA. Si le Roi lui a confié ces lettres, comme elle n'aura pas été seule une minute, elle les aura encore sur elle.

SOSTHÈNE. Et nous nous en emparerons...

GIACOMI. Par la force.

MADAME DU CAYLA. Mais non, par l'adresse! Si rusée que soit la filleule de Bonaparte, nous sommes tout de même de taille à lutter avec elle,[3] chevalier!

SOSTHÈNE (*les interrompant*). On vient!

(*Les trois hommes se remettent au jeu.*)

MADAME DU CAYLA (*vivement, changeant de ton*). Ah! monsieur de Maubreuil, vous avez perdu, et vous me faites perdre... je ne parierai plus jamais sur vous!

(*Toute cette scène doit être jouée avec un grand mouvement.*)

SCÈNE V

Les mêmes, CHALINDREY, *puis* NAPOLÉONETTE, VITROLLES, BOUTARD

CHALINDREY (*entrant à droite au fond*). Ah! madame, permettez-moi de vous présenter mes plus respectueux hommages ... Messieurs!... (*Les trois hommes rendent le salut.*)

MADAME DU CAYLA (*coquette, lui tendant la main par-dessus la balustrade*). Si respectueux, vraiment?... Comme vous arrivez tard!

[1] *Je suis tranquille:* I don't worry.

[2] *Bella combinazione!* (Italian): a fine plan.

[3] *Nous sommes ... de taille à lutter avec elle:* all the same, we are a match for her.

CHALINDREY. Je vous prie de m'excuser, j'ai un service très absorbant au palais...

MADAME DU CAYLA. Quand nous vous aurons fait nommer capitaine aux Gardes, vous aurez plus de loisirs...

CHALINDREY. Oh! madame, votre bonté à mon égard[1]...

MADAME DU CAYLA (*avec un regard tendre*). Oui... à votre égard... tout particulièrement...

CHALINDREY (*gêné*). Mais il faut que j'aille saluer madame de Rémusat...

MADAME DU CAYLA. Moi aussi. Vous déplairait-il que nous allions la saluer ensemble?

CHALINDREY. Je suis à vos ordres...

(*Madame du* CAYLA *s'éloigne lentement avec* CHALINDREY *et se dirige vers la grande porte de gauche, au fond. À ce même moment* NAPOLÉONETTE *entre à droite, suivie de* BOUTARD.)

NAPOLÉONETTE (*accompagnée par* VITROLLES *et suivie de* BOUTARD). Grand merci,[2] monsieur de Vitrolles, pour votre aimable conduite. Vous êtes le plus galant des hommes!

VITROLLES. Mais c'est tout naturel, mademoiselle.

SOSTHÈNE, et MAUBREUIL (*la saluant*). Bonsoir, mademoiselle.

NAPOLÉONETTE. Bonsoir, messieurs. (*À madame du* CAYLA *qu'elle aperçoit.*) Votre servante, madame. (*À* CHALINDREY.) Tiens, vous êtes là aussi, mon lieutenant... Ça ne m'étonne pas!

MADAME DU CAYLA. C'est sur mes instances que le lieutenant a accepté une invitation à cette soirée.

NAPOLÉONETTE (*à part, singeant son ton*). Ses instances... Ah! comme elle m'agace!...

CHALINDREY (*à madame du* CAYLA, *s'inclinant*). Je suis trop heureux, madame...

NAPOLÉONETTE (*à part*). Et lui, comme il a l'air bête!

[1] *À mon égard:* pour moi, to me.

[2] *Grand merci!* (ironic): no, thank you!

MADAME DU CAYLA. Vous avez eu une longue audience de Sa Majesté, mademoiselle?

NAPOLÉONETTE. Comme ci, comme ça,[1] madame... j'aurais eu encore bien des petites choses à dire à Sa Majesté, mais on a été dérangé tous les deux par un conseiller intime.

MADAME DU CAYLA (*faisant l'intéressée*).[2] Ah! vraiment?...

NAPOLÉONETTE (*en la regardant bien en face et nettement*). Un importun!

MADAME DU CAYLA (*se reculant vivement et d'un autre ton*). Vous venez, monsieur de Chalindrey?

(*Elle sort au fond gauche, au bras de* CHALINDREY.)

SCÈNE VI

NAPOLÉONETTE, BOUTARD, VITROLLES, SOSTHÈNE, MAUBREUIL, GIACOMI

VITROLLES (*à* NAPOLÉONETTE). Vous permettez que je vous débarrasse de votre manteau?...

NAPOLÉONETTE. Non... non... ne vous donnez pas cette peine... Ce valet de pied va m'aider... Eh bien, Joseph!

(BOUTARD, *un peu à l'écart, s'approche.*)

VITROLLES. Votre sac?...

NAPOLÉONETTE. Non... je ne m'en sépare pas... c'est ma musique pour danser tout à l'heure. (*Bas à* BOUTARD, *pendant que ce dernier l'aide à se déshabiller.*) Nous voilà en plein dans la bande![3]

BOUTARD. En plein!

VITROLLES (*allant aux autres et bas*). Il ne faut pas la perdre de vue un seul instant...

SOSTHÈNE. Soyez tranquille...

VITROLLES. Elle a les papiers, c'est certain... Elle est sortie

[1] *Comme ci, comme ça* (F): so, so.

[2] *Faisant l'intéressée:* prétendant être intéressée.

[3] *En plein dans la bande:* right in the middle of the gang.

en courant de chez le Roi ... Je suis tombé sur elle à l'improviste ... Elle n'a pu s'empêcher [1] d'avoir un mouvement de contrariété ...

BOUTARD (*en enlevant le manteau de* NAPOLÉONETTE, *bas*). En tout cas, je suis là, tu n'as rien à craindre.

NAPOLÉONETTE (*même jeu*). Mais ne reste pas tout le temps près de moi, ça paraîtrait louche. (*Elle le pousse.*)

BOUTARD (*en s'en allant*). Il faudrait que je trouve un moyen pour aller et venir ...

NAPOLÉONETTE (*le rappelant*). Laquais! Un miroir!

(*Il apporte un miroir qu'il trouve sur le piano et le tient devant* NAPOLÉONETTE *qui arrange ses cheveux.*)

MAUBREUIL (*à* VITROLLES). Quel prétexte avez-vous pris pour l'accompagner ici?

VITROLLES. Que son oncle et sa tante m'envoyaient la chercher ... qu'on la réclamait au plus vite ici ...

SOSTHÈNE. Parfait! (*Ils regardent tous trois* NAPOLÉONETTE.)

NAPOLÉONETTE (*qui voit, dans la glace qu'elle est observée, bas à* BOUTARD). On a l'air de s'intéresser à moi.[2]

VITROLLES (*aux autres, continuant*). Plus parfait que vous ne croyez ... Le Roi lui avait donné une escorte en la personne d'un laquais.

GIACOMI. Pas bien gênant, un laquais!

VITROLLES (*souriant*). Celui-là surtout, c'est un homme à nous, qui est entré au palais ce matin ...

MAUBREUIL. ... il s'est présenté à M. Lesparre avec une lettre convenue.

SOSTHÈNE. ... et il a été accepté tout de suite par ce gros de Sérignan.

NAPOLÉONETTE (*qui a achevé de s'arranger devant le miroir*). Me voilà prête à faire mon entrée au bal ... Oh! comme j'ai envie de m'amuser ce soir! ... Et vous, monsieur La Rochefoucauld?

[1] *N'a pu s'empêcher:* could not help.

[2] *On a l'air de s'intéresser à:* they look as if they were interested in me.

SOSTHÈNE (*vivement*). Voulez-vous me permettre de vous conduire à vos parents?

NAPOLÉONETTE (*avec une grimace*). Si c'est tout ce que vous m'offrez comme réjouissance!... Eh bien! allons-y!

MAUBREUIL (*qui la suit des yeux*). Où diable [1] a-t-elle caché ces papiers?...

GIACOMI. Ne serait-ce pas tout simplement ce rouleau qu'elle a dans son sac?

VITROLLES. Vous êtes fou! Pour des papiers cachés, on les verrait un peu trop!

(*Pendant cette scène, on a entendu la musique en sourdine dans le salon à côté. On l'entendra dans presque tout l'acte.*)

SCÈNE VII

Les mêmes, MADAME DE RÉMUSAT, LE MARQUIS *et* LA MARQUISE DE SÉRIGNAN, MADAME DU CAYLA, CHALINDREY, ROGER, LE DUC D'AGAY, HÉLÈNE, *toutes les* DEMOISELLES D'HONNEUR, MONSIEUR DE SAINT-AGNAN

(*À ce moment, la porte du salon s'est ouverte, madame de* RÉMUSAT *entre avec le marquis et la marquise de* SÉRIGNAN, *madame du* CAYLA, *les demoiselles d'honneur et plusieurs officiers parmi lesquels* ROGER, *le duc d'*AGAY *et* CHALINDREY.)

MADAME DE RÉMUSAT (*à* NAPOLÉONETTE). Ah! la voilà enfin!

LA MARQUISE. Il eût été convenable, ma nièce, que vous arrivassiez [2] plus tôt.

LE MARQUIS (*emphatique*). Parfaitement, que vous arrivassiez...

[1] *Où diable?:* where the deuce?

[2] *Vous arrivassiez:* l'emploi de l'imparfait du subjonctif dans la conversation paraît quelque peu prétentieux et ridicule.

NAPOLÉONETTE. C'est Sa Majesté qui m'a retenue . . . Bonsoir, madame.

MADAME DE RÉMUSAT. Vous savez, ma chère petite, qu'on vous attend ici avec impatience . . .

NAPOLÉONETTE (*avec un sourire*). Je le sais.

MADAME DU RÉMUSAT. J'ai promis à mes invités — du reste, c'était convenu avec votre tante — que vous nous danseriez un pas de l'ancien temps.[1] Il paraît que vous en avez appris un qui est tout à fait ravissant.

NAPOLÉONETTE. Oh! madame!

MADAME DE RÉMUSAT. Je n'admets pas de refus.

LA MARQUISE. Oui, ma nièce, vous allez danser.

NAPOLÉONETTE. Mais je n'ai pas ma musique, madame, je l'ai oubliée.

SOSTHÈNE (*bas à* VITROLLES). Tiens? . . . Mais . . . tout à l'heure, elle disait . . .

MADAME DE RÉMUSAT (*montrant le rouleau qui sort du sac à main*). Comment? Mais ce rouleau?

NAPOLÉONETTE (*troublée*). Ça . . . madame . . . c'est . . . ce n'est pas . . . ce n'est pas de la musique de danse . . . ce sont des romances . . . que j'ai promises . . . à mademoiselle de Chéneçay.

SOSTHÈNE (*même jeu à* MAUBREUIL). Comme elle se trouble!

LA MARQUISE. Vous oubliez toujours tout, étourdie que vous êtes![2] Heureusement, j'ai pensé à votre musique . . . et je l'ai apportée . . . Elle est là, sur le piano . . .

(*Elle se dirige vers le piano.*)

NAPOLÉONETTE. Oh! je n'oserai jamais danser dans le grand salon . . . il y a trop de monde!

MADAME DU CAYLA. Je ne vous croyais pas si timide, ma petite!

(*Elle passe à droite où elle rejoint le petit groupe des conspirateurs.*)

[1] *De l'ancien temps:* of the days of old.

[2] *Étourdie que vous êtes:* you thoughtless girl!

NAPOLÉONETTE. Je ne suis pas timide de la langue, madame. Je suis timide des jambes.

LA MARQUISE (*revenant la musique à la main*). Allons, ma nièce, ne vous faites pas prier [1] ... c'est de très mauvais goût.

LE MARQUIS. De très mauvais goût.

NAPOLÉONETTE. Alors, ici, en petit comité, pour nous tout seuls ... (*avec un sourire*) pour mon cousin!

MADAME DE RÉMUSAT. Soit, pour nous tout seuls!

NAPOLÉONETTE. Fermez bien les portes!

(*On ferme les portes du salon, à gauche.*)

SOSTHÈNE (*appelant* BOUTARD *qui passe au fond à droite, derrière la balustrade*). Hé! laquais!

BOUTARD (*avançant et en lui-même*). Ça y est! on va me mettre à la porte.[2]

SOSTHÈNE (*bas, avec un clin d'œil*). Ne quittez pas la soirée. Nous pouvons avoir besoin de vous.

NAPOLÉONETTE (*dans le groupe de gauche*). Mais qu'est-ce qui va m'accompagner?

MADAME DE RÉMUSAT. M. de Saint-Agnan, il joue fort bien du piano.

(*Le comte de* SAINT-AGNAN *prélude au piano. On s'assied.*)

NAPOLÉONETTE (*aux invités, avec son plus gracieux sourire*). C'est le Rigaudon de Philidor [3] que je vais danser.

(*Elle se penche sur le pianiste et lui pose le morceau de musique sur le pupitre, en lui donnant diverses explications à voix basse.*)

MAUBREUIL (*à madame de* CAYLA). Regardez bien la petite Sérignan. Vous voyez ce rouleau de carton qui sort de son sac à main?

[1] *Ne vous faites pas prier:* don't wait to be coaxed.

[2] *Ça y est! on va me mettre à la porte:* there now! they are going to fire me.

[3] PHILIDOR: François André Philidor (1726–1795), musicien français et célèbre joueur d'échecs (chess). Il fut l'un des créateurs de l'opéra comique français et composa de nombreux morceaux de danse.

MADAME DU CAYLA. Oui.

MAUBREUIL. L'avait-elle avant d'entrer chez le Roi?

MADAME DU CAYLA. Non!... certainement non!

MAUBREUIL. Eh bien, regardez-le avec respect, c'est notre dossier.

MADAME DU CAYLA. Vous croyez?

MAUBREUIL. J'en suis sûr.

GIACOMI (*qui s'est assis près d'eux*). Maintenant qu'il est entre [1] ses mains, c'est facile de le faire passer entre les nôtres. On attire la petite dans un coin, on l'effraie un peu et...

SOSTHÈNE.... Et elle fait un bruit de tous les diables,[2] vous ne connaissez pas ce petit démon-là!... Laissez-moi agir... j'ai mon plan!

(*Intermède.* NAPOLÉONETTE *danse le Rigaudon de Philidor, sous les yeux de l'assistance charmée.*)

VITROLLES (*aux autres conspirateurs pendant la danse*). Voyez, elle ne se sépare pas de son sac, même pour danser.

(*Lorsque le rigaudon est terminé, tous les assistants applaudissent.*)

TOUS. Bravo! bravo!

(*Petit tumulte, les jeunes filles s'empressent autour de* NAPOLÉONETTE *et la félicitent.*)

NAPOLÉONETTE. Vous me comblez... Mais il faut féliciter aussi M. de Saint-Agnan...

(*Elle disparaît derrière le groupe et se dirige vers le piano.*)

MADAME DE RÉMUSAT. Cette petite danse à ravir!

CHALINDREY. Ce pas est délicieux.

HÉLÈNE. Et si original!

MADEMOISELLE DE LA ROQUE D'OLME. Oh! tout à fait!

MADEMOISELLE DE JEUMONT. Vous savez qu'on ne danse plus que cela dans tous les salons!

[1] *Entre:* dans.

[2] *Un bruit de tous les diables:* a deuce of a noise.

MADEMOISELLE DE LA ROQUE D'OLME. Il faut absolument que je l'apprenne.

(NAPOLÉONETTE *revient, roulant le porte-musique, qu'elle attache avec l'élastique.*)

MADAME DU CAYLA. Mais vous n'avez pas les jambes timides du tout, ma petite...

LA MARQUISE (*à* NAPOLÉONETTE). Vous les montrez même un peu trop...

LE MARQUIS. Moins de mollets,[1] je vous prie, ma nièce...

NAPOLÉONETTE (*à* D'AGAY). Eh! bien... et vous, vous ne me dites rien?... Vous ne vous jetez pas à mes pieds?

D'AGAY. Ce n'est pas l'envie qui m'en manque[2]...

NAPOLÉONETTE (*gaiement*). Non, c'est la souplesse...

CHALINDREY (*s'avançant*). Permettez-moi, mademoiselle...

NAPOLÉONETTE (*à* D'AGAY). Ce n'est pas comme M. de Chalindrey. Ce n'est pas la souplesse qui lui manque.

CHALINDREY. Pourquoi?

NAPOLÉONETTE (*sèchement*). Pour rien... (*Se précipitant sur* ROGER.) Ah! Roger! Viens ici! Tu es content de moi?

ROGER (*enchanté*). Mais certainement je suis content de toi.

(*Il lui prend les deux mains et ils se sourient et se parlent à voix basse, gentiment.*)

MADAME DE RÉMUSAT (*les lorgnant*). Oh! Oh! Voilà cette fois deux jeunes gens qui n'ont pas de répulsion l'un pour l'autre...

LE MARQUIS (*indulgent*). Il faut leur pardonner, madame, c'est l'amour...

MADAME DE RÉMUSAT (*souriant*). C'est l'amour! (*La porte s'ouvre à deux battants,* BOUTARD *apparaît avec des rafraîchissements sur un plateau.*) Ah! voici des rafraîchissements! Monsieur le Grand Maître du Palais, je vous recommande

[1] *Moins de mollets:* don't show your ankles so much.

[2] *Ce n'est pas l'envie qui m'en manque:* it is not that I lack the desire.

tout particulièrement ce vin de Champagne qui me vient des caves de Monseigneur le comte d'Artois.

(*Le* MARQUIS *porte son verre à sa bouche. Soudain, dans le salon voisin, par la grande porte qu'on vient d'ouvrir, on entend rugir ce vers: "Dieux! Quels ruisseaux de sang coulent autour de moi!"* [1] *Tout le monde tressaille. Le* MARQUIS *s'étrangle en buvant. La déclamation continue en coulisse pendant ce qui suit:*)

LE MARQUIS. Qu'est-ce que c'est que ça?

(*Tout le monde se regarde étonné.*)

MADAME DE RÉMUSAT (*écoutant, puis tout à coup*). Mais c'est M. Talma [2] qui déclame déjà les Fureurs d'Oreste! [3] . . . Venez vite entendre M. Talma!

TOUS (*chuchotant*). Monsieur Talma! Monsieur Talma!

(*Tout le monde, sauf les conspirateurs, sort rapidement au fond à gauche. On referme la porte du grand salon. La déclamation ne s'entend plus que très faiblement.* BOUTARD *présente un plateau à* NAPOLÉONETTE. *Elle boit un verre de champagne.*)

SCÈNES VIII ET IX

Résumé: Ayant décidé de s'emparer, coûte que coûte, des précieux papiers contenus dans le sac à main, les conspirateurs of-

[1] "*Dieux! Quels ruisseaux de sang coulent autour de moi!*" Ye gods! what streams of blood flow around me!

[2] TALMA: François Joseph Talma (1763–1826), célèbre acteur français. Comblé de faveurs par Napoléon avec lequel il avait une certaine ressemblance, il remporta son plus grand triomphe au théâtre dans l'interprétation des "Fureurs d'Oreste."

[3] FUREURS D'ORESTE: tirade fameuse de la tragédie *Andromaque* de Racine. À l'instigation d'Hermione, la femme qu'il aime, Oreste tue le roi Pyrrhus. Hermione, qui avait agi sous l'empire de la jalousie, reproche maintenant son crime à Oreste; alors, ce dernier, fou de désespoir et de jalousie, exhale toute sa fureur dans cette tirade célèbre.

frent à NAPOLÉONETTE *plusieurs coupes de champagne que celle-ci boit d'un seul trait.* NAPOLÉONETTE *accepte ensuite de chanter une vieille romance mais donne bien vite l'impression qu'elle a un peu trop bu. Sa chanson terminée, elle s'assied les coudes sur la table et la tête entre ses mains; puis, feignant d'être endormie, elle laisse tomber son sac à terre.* SOSTHÈNE *tire alors les papiers du sac et tous les conspirateurs disparaissent, laissant* NAPOLÉONETTE *seule sur la scène.*

SCÈNE X

NAPOLÉONETTE, CHALINDREY

CHALINDREY. Méchante enfant!... Ça va être un vrai scandale!... Mademoiselle! Mademoiselle Napoléonette! Il faut vous réveiller, voyons!... (*Il lui fait respirer des sels.*)

NAPOLÉONETTE (*relevant la tête et d'un air vague*). Quoi?... Qu'est-ce que c'est?

CHALINDREY. C'est moi, Chalindrey!... Elle ne me reconnaît même pas!... C'est du joli![1]... Petite malheureuse![2] N'avez-vous pas honte?

NAPOLÉONETTE (*feignant de ne pas comprendre*). Honte! honte de quoi!

CHALINDREY. Ces imbéciles se sont amusés à vous griser, et vous les avez laissés faire...

NAPOLÉONETTE. Ce ne sont pas des imbéciles!... ce sont des canailles.

CHALINDREY. Hein?

NAPOLÉONETTE. Et vous ne valez pas mieux qu'eux, mon bon monsieur, je mets toute la bande dans le même sac[3]...

CHALINDREY (*interloqué*). Ah ça, mais![4]

[1] *C'est du joli:* this is a pretty state of affairs.

[2] *Petite malheureuse:* you little wretch.

[3] *Je mets ... sac:* I put the whole gang in the same class.

[4] *Ah ça, mais!:* look here now!

NAPOLÉONETTE. Vous me dégoûtez comme les autres... plus que les autres!

CHALINDREY. Je ne me fâcherai pas, car vous êtes grise!...

NAPOLÉONETTE (*dans les yeux et changeant subitement de ton*). Non! je ne suis pas grise! Je n'ai jamais été grise!...

CHALINDREY. Hein!

NAPOLÉONETTE (*elle se lève et regarde autour d'elle*). Assez joué la comédie! [1] ... C'était bon avec vos acolytes, mais à vous, à vous, c'est de sang-froid que je dis: ça me dégoûte!

CHALINDREY. De sang-froid! Ah! par exemple! [2]

NAPOLÉONETTE. Oui, ça me dégoûte de voir un officier, un héros de la Grande Armée,[3] prendre part à des conspirations contre son vieux roi! Et vous vous dites [4] royaliste!...

CHALINDREY. Pardon!

NAPOLÉONETTE. Oh! je sais bien ce qui vous a attiré dans le parti des Ultras, c'est une femme, une intriguante!... Ah! elle est séduisante, cette femme!... Et influente!... Affection et protection!... Eh bien ça, c'est encore plus dégoûtant que tout. Du temps de mon parrain, un grade ne se gagnait pas dans les salons, il se gagnait dans les batailles! Conspirer par conviction, soit, mais conspirer pour plaire à une belle dame qui fera votre avancement [5] ... Ah! tenez,[6] cela m'écœure, m'écœure, m'écœure!

CHALINDREY (*exaspéré*). Ah! mademoiselle! je ne vous permets pas...

NAPOLÉONETTE. Fâchez-vous, maintenant, parce que je vous dis vos vérités!

[1] *Assez joué la comédie:* enough of this play-acting.

[2] *Ah! par exemple!:* ah! this is the limit!

[3] LA GRANDE ARMÉE: l'armée française que Napoléon organisa pour entreprendre la campagne de Russie en 1812.

[4] *Vous vous dites:* you say that you are.

[5] *Qui fera votre avancement:* who will cause your promotion.

[6] *Tenez:* I say.

CHALINDREY (*se révoltant*). Mais, sacrebleu! vos vérités sont des mensonges!

NAPOLÉONETTE. Alors, pourquoi, depuis votre arrivée, ne quittez-vous pas les jupes de la Zoé?... Pourquoi vous trouve-t-on toujours avec ces gens-là?

CHALINDREY. Mais ces gens-là, je ne les connais pas!... Madame du Cayla elle-même, je l'ai vue pour la première fois hier!...

NAPOLÉONETTE. Vrai?

CHALINDREY. Des amis de ma famille m'ont adressé à elle pour entrer dans la Garde royale... J'étais tellement de ma province [1] que j'ignorais jusqu'à ce matin les raisons... particulières de son influence... Oh! qu'avez-vous donc pensé de moi?...

NAPOLÉONETTE. Des choses qui m'ont fait bien de la peine!

CHALINDREY. Oh! mademoiselle!... Vous n'avez pas le droit de me juger ainsi. (*Très violent.*) Je ne vous le permets pas vous m'entendez, je vous le défends!

NAPOLÉONETTE (*presque avec admiration*). Comme vous me parlez!... vous êtes dans une telle colère que, pour un peu, vous me donneriez une gifle! [2]

CHALINDREY. Ma foi, si vous étiez un homme!... Car, voyez-vous, je suis révolté, je suis furieux!

NAPOLÉONETTE (*changeant de ton et gentiment*). Et moi, je suis heureuse, car je suis rassurée maintenant. Je vois bien dans vos yeux que vous me dites la vérité! (*Le regardant.*) Oui... Vous avez toujours votre regard d'acier, un peu dur, mais si loyal! Vos yeux de Waterloo!...

CHALINDREY (*ému à ce souvenir*). Waterloo! (*Un temps.*) Vraiment, vous ne croyez plus ces vilaines choses? (*Il lui tend les mains.*) Alors, amis?

[1] *Tellement de ma province:* si provincial.

[2] *Pour un peu... gifle: pour un peu* can only be exactly rendered by the English colloquialism "for two pins:" "if you did not control yourself you would slap my face."

NAPOLÉONETTE (*montrant l'endroit par où est sortie madame du* CAYLA). C'est bien sûr? vous ne l'aimez pas?

CHALINDREY. Oh!

NAPOLÉONETTE. Alors, amis!... grands amis!...

(*Elle lui prend les deux mains.*)

CHALINDREY (*ému*). Mon petit Léo!

NAPOLÉONETTE (*très émue aussi*). Ah! c'est gentil, ça, de m'appeler "petit Léo"... Il me semble que j'ai retrouvé un peu de mon pauvre papa pour me défendre, me protéger... En ce moment, voyez-vous, il me faudrait [1] quelqu'un en qui je me confie comme je me confiais à lui.

CHALINDREY. Il y a donc quelque chose de grave?

NAPOLÉONETTE. De très grave! Dites-moi... est-ce que je peux vous remettre des papiers très précieux? Vous me jurez que vous ne les regarderez pas, que vous les mettrez en lieu sûr... et que vous ne le direz à personne... vous entendez, à personne!

CHALINDREY. Des papiers?... à vous?

NAPOLÉONETTE. Ah! bon, voilà déjà que [2] vous me posez des questions! Bien sûr que non, ils ne sont pas à moi! Est-ce que j'ai des secrets, moi? Ils sont à quelqu'un de haut placé.[3] ... Oh!... très haut! tout en haut.[4]

CHALINDREY. Seraient-ils au?...

NAPOLÉONETTE (*lui mettant la main sur la bouche*). Chut! vous jurez?

CHALINDREY. Je jure!

NAPOLÉONETTE. Vous savez... c'est un peu dangereux d'avoir ça en sa possession. Il y a des gens qui donneraient gros [5] pour les tenir; la preuve c'est qu'il n'y a pas deux heures que je les ai, et qu'on a déjà essayé de me les voler!

[1] *Il me faudrait:* j'aurais besoin de, I should need.

[2] *Voilà déjà que:* here you are already.

[3] *De haut placé:* in high office.

[4] *Tout en haut:* at the very top.

[5] *Donneraient gros:* would give a great deal.

CHALINDREY. Vraiment?

NAPOLÉONETTE. La collation... le champagne... tout ça c'était pour me griser et me voler le rouleau de papier qui est dans mon sac!

CHALINDREY (*apercevant le sac vide*). Mais malheureuse il n'y est plus!... Ils l'ont pris.

NAPOLÉONETTE (*souriant*). Ils ont pris le Rigaudon de Philidor que j'ai dansé tout à l'heure... Mais les papiers les voici.

(*Elle court au piano, apporte le porte-musique, le déroule et y prend les papiers qu'elle y a mis, après avoir chanté, sans que personne s'en aperçoive.*)

CHALINDREY (*émerveillé*). Ah!

NAPOLÉONETTE. J'ai opéré tout à l'heure, à leur nez,[1] une petite substitution... Après ça, je leur ai joué ma petite comédie. Ils croyaient me griser... Vous savez bien que j'ai été lancier, et qu'un lancier ne se laisse pas griser comme une femmelette! Maintenant prenez ça, et sauvez-vous! Cachez-les, tenez, dans votre tunique... emportez-les!... Demain nous verrons ce qu'il faudra en faire! (CHALINDREY *obéit.*) C'est gentil, vous savez, de m'obéir sans discuter, sans exiger d'explications... ça prouve que vous avez un peu d'affection pour moi.

CHALINDREY (*avec ardeur*). De l'affection?... De l'affection?

(*Il s'approche d'elle, tout près, et est sur le point de l'embrasser.* NAPOLÉONETTE, *se reculant, lui met la main sur la bouche.*)

NAPOLÉONETTE. Partez! partez vite! (*Il sort à droite au fond.*) Oh! je suis heureuse, bien heureuse!

(*Et joyeuse, elle se met à danser un petit pas.*)

[1] *À leur nez:* under their noses.

Scène XI

Napoléonette, Boutard

BOUTARD (*entrant à gauche premier plan et l'apercevant*). Ah! te voilà toi! Eh bien, je te félicite! Tu te mets dans de jolis états,[1] ma petite. Et ils en ont profité, les bandits!...

NAPOLÉONETTE (*en riant*). Ne crie donc pas comme ça!

BOUTARD (*continuant*). Mais c'est ma faute, je n'aurais pas dû te quitter!... Et puis, toi, tu fais leur jeu [2]... tu me renvoies (*l'imitant*) "Laissez-nous, Joseph!" Tu étais donc folle?... (*Elle éclate de rire.*) Et puis voilà que tu ris,[3] maintenant! Mais tu l'es [4] tout à fait.

NAPOLÉONETTE. Oh! oui, je ris parce que je suis bien contente.

BOUTARD. Tu es contente!... Ah! je ne comprends plus!

NAPOLÉONETTE. Tu vas comprendre grosse bête! [5] Je les ai roulés [6]... Les papiers sont en sûreté!...

BOUTARD. Ah!... Eh bien, toi, tu ne l'es [7] pas, mon petit... parce qu'ils vont s'en apercevoir... ils vont tenter un autre coup... et, tu sais, avec ces gaillards-là!

NAPOLÉONETTE. Je sais.

BOUTARD. Ils sont capables de tout!...

NAPOLÉONETTE. De tout!

[1] *Tu te mets dans de jolis états:* you get yourself in a pretty state (mess).

[2] *Tu fais leur jeu:* you play their own game.

[3] *Voilà que tu ris:* there you are laughing now.

[4] *L':* stands for *folle*.

[5] *Grosse bête!:* (F): you silly ass!

[6] *Je les ai roulés:* "rouler" has a double meaning: to roll and to put it over someone. Note the pun.

[7] *L'* stands for *en sûreté*.

Scène XII

Les mêmes, Sosthène, Maubreuil, *puis* Giacomi, *puis* Vitrolles

SOSTHÈNE (*en coulisse*). Le baron de Vitrolles est-il toujours là?

MAUBREUIL (*en coulisse*). Il n'a pas encore quitté le bal?

UNE VOIX. Non, messieurs!

BOUTARD (*à* Napoléonette). Ce sont eux, tu vois! ils reviennent!

NAPOLÉONETTE. Alors, je reprends mon rôle. (*Elle bondit sur le canapé où elle s'étend de manière à ne pouvoir être vue de tout le côté gauche de la scène.*) Toi! Va-t-en!

BOUTARD. Non! les choses vont se gâter! [1] Je ne veux pas te quitter!

NAPOLÉONETTE. Il ne faut pas qu'on nous voie ensemble, voyons! [2]

BOUTARD. Eh bien... je reste là... (*Il ouvre une porte à droite.*) Si tu as besoin de moi, appelle!

(*Il disparaît.* Napoléonette *se blottit dans les coussins du canapé.*)

MAUBREUIL (*entrant avec* Sosthène). Ah! ça, c'est trop fort! [3] ... Il faut prévenir Vitrolles, tout de suite!

SOSTHÈNE. Tout de suite!

(*Il sort à gauche, dans le grand salon.*)

MAUBREUIL (*à* Giacomi *qui entre tenant une lettre à la main*). Eh bien! chevalier, que faisiez-vous donc?

GIACOMI. J'ai été arrêté dans l'antichambre par un des nôtres qui m'a remis une lettre. C'est urgent, paraît-il. [4]

MAUBREUIL. Pas tant que la décision qu'il nous faut prendre.

VITROLLES (*arrivant suivi de* Sosthène). Mais qu'y a-t-il?

[1] *Les choses vont se gâter:* things are going to take a bad turn, to go wrong.

[2] *Voyons:* I say.

[3] *C'est trop fort:* that is the limit.

[4] *Paraît-il:* so it seems.

MAUBREUIL (*bas et rapidement*). Nous avons été joués![1] Le rouleau que nous avons pris ne contenait que des airs de danse!

VITROLLES. Cette petite s'est bien moquée de nous!

GIACOMI. La coquine!

SOSTHÈNE. Elle s'est laissée griser! Qu'est-ce qu'elle risquait?

MAUBREUIL. Et maintenant, ces papiers, où les a-t-elle cachés?

SOSTHÈNE. La partie est perdue!

MAUBREUIL. Celle-là, oui! Mais il faut en gagner une autre! ... Messieurs, nous avons voulu employer la ruse. Nous avons échoué. C'est à d'autres moyens qu'il nous faut recourir!

GIACOMI. Parbleu![2] Je le disais! ...

MAUBREUIL. Nous allons enlever le Roi cette nuit même ...

VITROLLES. Enlever le Roi?

MAUBREUIL. C'était mon plan primitif et tout est déjà combiné pour cela.

SOSTHÈNE. Mais savez-vous ce que nous risquons?

VITROLLES. Tant pis!

MAUBREUIL. C'est décidé?

SOSTHÈNE. C'est décidé! Allons! (*Ils commencent leur sortie.*)

GIACOMI (*qui a lu sa lettre*). Ah! (*Tous s'arrêtent.*)

MAUBREUIL. Qu'est-ce donc?

GIACOMI. L'homme qui devait s'engager aujourd'hui comme laquais à la Cour a perdu le mot convenu et n'a pas pu se présenter.

VITROLLES. Mais alors, celui qui s'est présenté à sa place?

SOSTHÈNE. Un imposteur!

VITROLLES. Quelqu'un de la police!

GIACOMI. *Diavolo!*[3] Malheur à ceux qui se trouveront sur notre route. (*Il se dirige à droite et aperçoit* NAPOLÉONETTE

[1] *Joué:* fooled.

[2] *Parbleu!:* naturellement! of course!

[3] *Diavolo!* (Italian): the deuce.

immobile, étendue, les yeux fermés, sur le canapé.) Tiens! la petite de Sérignan! encore là!

SOSTHÈNE. Elle dort!

(*Ils s'approchent, la regardent par-dessus la balustrade.*)

MAUBREUIL. Elle dort? . . . Croyez-vous!

GIACOMI (*s'approchant d'elle*). Il est facile de s'en assurer!

(*Il tire lentement de son gilet un petit poignard.*)

SOSTHÈNE (*le retenant du geste*). Qu'allez-vous faire?

GIACOMI. Laissez-moi faire! (*Il lève le poignard et brusquement le laisse retomber en faisant le simulacre de la poignarder.*[1] *Un grand temps.*) Elle n'a pas eu un tressaillement! Elle dort comme une souche!

MAUBREUIL. Venez!

(*Ils sortent tous au fond, à droite. Un nouveau silence. Puis* NAPOLÉONETTE *se relève lentement, se soulève un peu, pour voir s'ils sont bien partis, et laisse entendre un petit sifflement de surprise et d'émotion en hochant la tête.*)

SCÈNE XIII

NAPOLÉONETTE, BOUTARD

NAPOLÉONETTE. Oh! là! là![2] . . . Quelle brute! . . . (*Elle se lève.*) Mais ce n'est plus de la comédie, ça, ma petite, c'est du drame! . . . (*Appelant.*) Boutard! Boutard!

(*Elle court vers la porte du premier plan à droite.*)

BOUTARD (*qui était aux aguets,*[3] *sort vivement par cette porte*). Eh bien?

NAPOLÉONETTE. Eh bien! tu avais raison, mon vieux, les choses vont se gâter.

(*Et, comme elle va tout lui expliquer, la porte du fond*

[1] *Faisant le simulacre de poignarder:* pretending to stab.

[2] *Oh! là! là!:* oh, dear me!

[3] *Aux aguets:* on the watch.

gauche s'ouvre et une farandole joyeuse se précipite dans le salon, sur un air d'une musique endiablée: celui qui mène cette farandole va à NAPOLÉONETTE, *lui prend la main et l'entraîne avec la bande, au milieu des rires de tous, et le rideau tombe lentement pendant que la farandole fait le tour* [1] *de la table du salon et s'éloigne par la porte donnant sur les jardins.*)

[1] *Faire le tour:* tourner autour, to turn around.

RIDEAU

ACTE QUATRIÈME

(*Un vaste vestibule dans le palais des Tuileries. Au fond, une grande porte-fenêtre, à deux battants, donnant sur un perron d'où l'on descend dans un jardin. À droite et à gauche, premier plan, deux entrées de couloirs s'enfonçant dans le palais. Le couloir de gauche mène aux appartements des dames d'honneur et de madame du* CAYLA, *le couloir de droite à l'appartement des* SÉRIGNAN. *À gauche, au fond, une autre entrée de couloir qui mène aux appartements privés du* ROI. *Une console à droite, entre le couloir et le fond.*)

SCÈNE I

MAUBREUIL, GIACOMI, *puis* UNE CAMÉRISTE

(*Au lever du rideau, la scène est vide. Nuit. Un clair de lune éclaire, par la large porte-fenêtre, toute une partie de la scène. Silence. Puis on entend, dans le fond, une voix qui dit: "Halte-là! Qui vive?" Puis, plus rien . . . Au bout d'un instant* MAUBREUIL *et* GIACOMI *arrivent par le perron du fond et entrent par la porte-fenêtre.*)

GIACOMI (*à voix basse*). C'est ici?

MAUBREUIL. Oui . . . voilà l'endroit où nous agirons . . . Attendez que[1] je me reconnaisse . . . (*S'orientant.*) Oui, l'appartement de Zoé est par là . . . (*Il désigne la gauche.*)

GIACOMI. Bon.

MAUBREUIL. Allez sans bruit jusqu'à la troisième porte à droite et frappez quatre petits coups: trois rapprochés, un espacé.[2] Une femme sortira. Vous me l'amènerez.

GIACOMI. C'est la suivante de la du Cayla?

[1] *Attendez que:* attendez jusqu'à ce que.

[2] *Trois rapprochés, un espacé:* three in rapid succession and one after an interval.

MAUBREUIL. Elle est pour nous! Je l'ai achetée.

(GIACOMI *entre dans le couloir de gauche.* MAUBREUIL *attend en se dissimulant dans la partie non éclairée. Au bout d'un court instant,* GIACOMI *revient.*)

GIACOMI. La voici.

(*Entre la cameriste, qui porte un flambeau à la main.*)

LA CAMÉRISTE (*cherchant* MAUBREUIL). C'est bien vous, monsieur de Maubreuil?

MAUBREUIL. Pas de nom!... Êtes-vous prête à jouer votre rôle?

LA CAMÉRISTE. Monsieur de M... (*Se reprenant.*) Monsieur le vicomte m'a promis qu'il assurerait mon sort [1]... Je serai renvoyée, c'est sûr!

(*Elle fait un mouvement pour tendre la main.*)

GIACOMI. Mais oui! vous serez payée largement.

LA CAMÉRISTE. Comment avez-vous pu monter jusqu'ici, messieurs?

MAUBREUIL (*montrant la porte-fenêtre*). Par le petit jardin... La sentinelle de garde est à nous.

GIACOMI. On lui a donné un bon pourboire.

LA CAMÉRISTE (*tendant de nouveau la main*). Vous ne craignez pas de dépenser, à ce que je vois? [2]...

MAUBREUIL (*impatienté*). Tenez! (*Il lui donne une bourse.*) Vous en aurez le double, une fois votre mission accomplie.[3]

LA CAMÉRISTE. Je suis toute au service de monsieur le vicomte.

MAUBREUIL. Écoutez-moi bien! Le Roi est à la Comédie-Française. Il rentrera d'ici une demi-heure.[4] Vous entendrez son arrivée?

LA CAMÉRISTE. Sans peine.

MAUBREUIL. Un moment après, lorsqu'il aura congédié tout

[1] *Assurerait mon sort:* would assure my future.

[2] *À ce que je vois:* d'après ce que je vois, judging by what I see.

[3] *Une fois . . . accomplie:* une fois que votre mission sera accomplie.

[4] *D'ici une demi-heure:* within half an hour.

son monde... dès qu'il sera seul, suivant sa coutume, dans son cabinet de travail, vous irez le trouver avec une lettre de votre maîtresse... une lettre urgente que vous lui remettrez.

(*Il prend une lettre que* GIACOMI *tire de sa poche et lui tend.*)

LA CAMÉRISTE. Une lettre de madame la comtesse?

MAUBREUIL (*lui donnant la lettre*). Ce n'est pas la première fois que vous aurez porté au Roi une lettre de votre maîtresse?

LA CAMÉRISTE (*examinant l'écriture*). Non... Mais, cette lettre-ci...

MAUBREUIL. Que vous importe par qui elle est écrite!

GIACOMI (*continuant*). Pourvu que son écriture ressemble à la sienne.

LA CAMÉRISTE (*regardant de plus près*). C'est à s'y méprendre.[1]

MAUBREUIL. Puis vous guetterez la sortie du Roi.

LA CAMÉRISTE. Vous croyez que le Roi rendra visite à madame?

MAUBREUIL. J'en suis sûr. Elle lui a écrit qu'elle est malade, rongée de désespoir de remords... qu'elle veut le voir absolument, sans quoi elle meurt... On ne résiste pas à de pareilles supplications.

GIACOMI (*ricanant*). Quand on a le cœur sensible...

MAUBREUIL. Dès que vous aurez remis la lettre, vous nous en avertirez en jetant une poignée de cailloux sur le petit toit vitré, là! (*Il montre le jardin par la fenêtre.*) Et vous renouvellerez le même signal, quand le Roi sortira de ses appartements. Allez vite! (*La camériste sort à gauche. Se retournant vers* GIACOMI.) Comprenez-vous, chevalier? Pour se rendre chez la comtesse, le Roi passera par ici. (*Montrant le couloir de gauche, au fond.*) Il ouvrira, au fond de ce couloir, la petite porte dont il a seul la clef et traversera tout ce vestibule...

[1] *C'est à s'y méprendre:* you cannot tell them apart.

GIACOMI. Et nous le saisirons au passage.[1]

MAUBREUIL. Ici, tenez.[2] (*Il se place à l'entrée du couloir de gauche, au fond.*) Il arrive par là... nous l'enveloppons d'un manteau... il est pris... Vous, chevalier, je vous charge spécialement de surveiller ce couloir! Et si quelqu'un venait à nous troubler...

GIACOMI (*féroce*). Il ne nous troublerait pas longtemps!

MAUBREUIL. Je vous connais! Alors jusqu'au signal,[3] nous restons, avec les autres, cachés dans le jardin. (*À ce moment on entend des bruits de voix, à gauche.*) On vient, dépêchez-vous!

(GIACOMI *se cache dans le couloir de gauche, au fond.* MAUBREUIL *sort vivement par la porte vitrée du fond et descend dans le jardin.*)

SCÈNE II

NAPOLÉONETTE, BOUTARD, LE MARQUIS *et* LA MARQUISE DE SÉRIGNAN, ROGER

(*Toute la famille de* SÉRIGNAN *entre par le couloir du premier plan gauche, éclairée par* BOUTARD, *qui porte un flambeau à trois branches. La scène s'éclaire.*)

LA MARQUISE (*continuant une discussion*). Je vous assure, ma nièce, que votre conduite dépasse les limites des convenances.

LE MARQUIS. Parfaitement.

ROGER. Ne la grondez pas, ma mère, je vous en prie.

LA MARQUISE. Vous avez d'excellentes raisons, mon fils, de chercher des excuses à votre cousine. (*S'adoucissant.*) Je comprends fort bien que vous preniez sa défense, puisqu'elle s'est, en quelque sorte, affichée comme votre fiancée,[4] j'ose le dire!...

[1] *Au passage:* as he passes. [2] *Tenez:* don't you see.

[3] *Jusqu'au signal:* until the signal is given.

[4] *S'est affichée comme votre fiancée:* has paraded as your fiancée.

LE MARQUIS. Osons le dire!

LA MARQUISE. Néanmoins, mon devoir exige que je blâme sa conduite répréhensible.

LE MARQUIS (*satisfait*). Oui, répréhensible, c'est le mot!

LA MARQUISE. Rester toute une soirée à l'écart, avec des hommes!

LE MARQUIS. Vous livrer à des libations [1] qui vous ont mise dans un état...

NAPOLÉONETTE. Il y avait aussi madame du Cayla, ma tante!

LA MARQUISE. Je le sais bien, c'est elle qui nous a renseignés.

NAPOLÉONETTE (*prenant un air mystérieux*). Et puis, service du Roi, ma tante!... J'obéissais aux ordres de Sa Majesté.

LA MARQUISE (*changeant subitement de ton*). Bon, bon!

LE MARQUIS (*même jeu*). Soirée délicieuse, d'ailleurs, d'une gaieté... d'un entrain.[2]...

NAPOLÉONETTE (*très gaie*). Ah! pour ça, oui... d'un entrain! ... (*À part.*) En train de mal tourner! [3]

LE MARQUIS. Rentrons! (*À* BOUTARD.) Éclairez-nous, mon garçon!

(BOUTARD *passe devant lui et éclaire l'entrée du corridor de droite.*)

BOUTARD. Oui, monsieur le maire,... (*se reprenant*) monsieur le grand maître!

LE MARQUIS (*le regardant attentivement*). Mais vous passiez des plateaux, tout à l'heure, chez madame de Rémusat?... Qui vous avait permis, s'il vous plaît, de quitter votre service au palais?

BOUTARD (*comiquement mystérieux*). Service du Roi, monsieur le grand maître... J'obéissais aux ordres de Sa Majesté.

LE MARQUIS (*à sa femme*). Sa Majesté a donné des ordres à tout le monde, décidément.

(*Il va au corridor de droite, la marquise le suit.*)

[1] *Vous livrer à des libations:* to indulge in libations.

[2] *D'une gaieté, d'un entrain:* with such a gaiety... such animation.

[3] *En train de mal tourner:* on the point of taking a bad turn. (Note the pun.)

NAPOLÉONETTE (*à voix basse, à* BOUTARD). Accompagne-les à leurs appartements et reviens! (*Haut.*) Oh! ma tante, j'ai oublié de raconter à Roger... Vous permettez que je reste encore un instant avec lui?

LA MARQUISE (*de bonne humeur*). Mon Dieu! les jeunes gens ont toujours quelque chose à se dire. Au point où ils en sont,[1] on peut les laisser se faire des confidences. N'est-ce pas, Edgar?

LE MARQUIS. Oui, Adélaïde, on peut...

(*Ils rentrent précédés de* BOUTARD.)

SCÈNE III

NAPOLÉONETTE, ROGER, *puis* BOUTARD

ROGER (*riant de voir* NAPOLÉONETTE *si nerveuse*). Eh bien, petite cousine, qu'est-ce qu'il y a donc? Un reste de champagne, qui te met les nerfs en révolution?[2]

NAPOLÉONETTE (*subitement sérieuse*). Ah! non, mon petit, ne plaisante pas!... Je t'assure que ce n'est pas le moment.

ROGER (*frappé*). Qu'est-ce qui se passe?

NAPOLÉONETTE. Des choses!... (*À* BOUTARD *qui rentre.*) Viens ici, toi!

(BOUTARD *pose son chandelier en le laissant allumé sur la console au fond.*)

BOUTARD. Mais qu'est-ce qu'il y a?

NAPOLÉONETTE (*entre eux deux*). Les Ultras veulent enlever le Roi!

TOUS DEUX. Hein?

NAPOLÉONETTE. J'ai tout entendu, pendant qu'ils me croyaient endormie. Comme la tentative pour voler les papiers[3] a échoué....

[1] *Au point où ils en sont:* as matters stand.

[2] *Te met les nerfs en révolution:* makes your nerves jump.

[3] *La tentative pour voler les papiers:* the attempt to steal the papers.

ROGER. Les papiers?

NAPOLÉONETTE. . . . Je t'expliquerai plus tard, ne m'interromps pas! . . . Ils ont décidé d'employer les grands moyens[1] . . . Ils veulent agir de suite, ils l'ont dit.

ROGER. Mais où?

BOUTARD. Quand?

NAPOLÉONETTE. Hé, je vous ai dit tout ce que je sais . . . Nous n'allons pas laisser faire ça,[2] hein!

BOUTARD. Certainement non . . . (*Avec joie.*) J'ai un moyen, je le tiens! Ils me croient des leurs[3] je les cherche, je me joins à eux, et . . .

NAPOLÉONETTE. Et ils te font disparaître de ce monde! Tu es démasqué, mon pauvre vieux. Ils ont découvert leur erreur . . . Ils pensent que tu es un policier et, si jamais tu tombes dans leurs mains . . .

BOUTARD. Diable!

NAPOLÉONETTE. Il y a un certain Giacomi que les scrupules n'embarrassent pas et qui, en un clin d'œil,[4] te réglerait ton compte.[5]

BOUTARD. Diantre!

ROGER. Que faire?

NAPOLÉONETTE. C'est pour cette nuit, évidemment. Mais où leur mauvais coup est-il préparé? . . . À la Comédie? . . . Au moment du retour du Roi? . . . Ici, aux Tuileries? . . . Il faudrait être partout.

BOUTARD. Il faut qu'il y en ait un qui reste ici . . . C'est un bon poste d'observation, on peut surveiller (*comptant*) une . . . deux . . . trois directions du palais.

[1] *Employer les grands moyens:* to take extreme measures, to resort to strong means.

[2] *Laisser faire ça:* allow that to be done.

[3] *Ils me croient des leurs:* ils croient que j'appartiens à leur bande.

[4] *En un clin d'œil:* in the twinkling of an eye.

[5] *Réglerait ton compte:* would settle your account; (do away with you).

NAPOLÉONETTE. Il faut avant tout avertir le ministre de la police.

BOUTARD. Vas-y, toi, mon petit! Raconte toi-même ce que tu as entendu.

NAPOLÉONETTE. Non... à cette heure-ci on ne me recevrait pas! Tandis qu'un officier comme Roger... (*À* ROGER.) C'est toi qui vas courir chez M. Decaze.

ROGER. Si tu veux.

NAPOLÉONETTE. Dis-lui ce que j'ai découvert... Qu'il mette tous ses hommes sur pied![1] Qu'il surveille partout.

ROGER. C'est convenu. (*Revenant sur ses pas.*) Ah! (*À* BOUTARD.) Vous n'avez pas d'armes?

BOUTARD. Non.

ROGER. Attendez! (*Il sort rapidement à droite.*)

BOUTARD (*à* NAPOLÉONETTE). Ah! si seulement le lieutenant de Chalindrey était là!

NAPOLÉONETTE. Il est allé faire une commission dont je l'ai chargé. Ensuite il rentrera au palais; il n'est de garde qu'à minuit passé.

BOUTARD. Ça, c'est ennuyeux! Il nous aiderait!

NAPOLÉONETTE. Et avec joie! Parce que tu sais, lui, il ne peut pas souffrir les Ultras.

ROGER (*revenant, à* BOUTARD). Prenez ceci. (*Il lui tend un pistolet.*) Vous êtes particulièrement menacé, et on ne sait pas ce qui peut arriver... Je cours chez le comte Decaze.

BOUTARD. Pourvu qu'il soit chez lui!

NAPOLÉONETTE (*le poussant dehors*). Cherche-le partout!... au diable,[2] s'il le faut.

ROGER. Je ne reviens qu'après l'avoir vu. Attendez-moi ici! (*Il sort au deuxième plan gauche.*)

[1] *Qu'il mette ... sur pied:* let him get all his men ready for action.

[2] *Au diable:* in the moon.

Scène IV

Napoléonette, Boutard

(*Un moment de silence.* Boutard *se promène de long en large,*[1] *comme un ours en cage.*)

NAPOLÉONETTE. Arrête-toi!... Tu m'agaces... Tu as l'air d'un balancier de pendule...

BOUTARD (*sentencieux*). Ce n'est pas moi qui t'agace... c'est d'avoir à attendre.

NAPOLÉONETTE. C'est surtout de ne pas savoir... de ne rien savoir! Nous sommes là, impuissants, avertis seulement qu'il va se passer quelque chose, et pas moyen d'y remédier!

BOUTARD. Pour moi, vois-tu, c'est à la sortie du spectacle qu'ils tenteront leur coup... Une bousculade... et puis...

NAPOLÉONETTE. Ou dans la loge du Roi, peut-être... Enlever le Roi dans sa loge, c'est hardi... Mais c'est faisable.

BOUTARD. Tu as raison... Ce n'est pas ici que nous devrions être, c'est à la comédie.

NAPOLÉONETTE. Le comte Decaze y enverra du monde.

BOUTARD. S'il en est encore temps.

NAPOLÉONETTE. Et puis, tout réfléchi,[2] il y a autant de chance pour que le danger soit ailleurs.

BOUTARD (*toujours de son avis*). C'est possible!... (Napoléonette *se promène, nerveuse.*) Dis donc, c'est toi, maintenant, qui a l'air d'un balancier de pendule! (*Elle s'arrête. Une voix lointaine crie: "La grille!" Sursautant.*) Qu'est-ce que c'est?

NAPOLÉONETTE. Écoute! (*On entend le roulement d'un carrosse assez loin. Une voix commande: "Présentez... sabres!" Un piétinement de chevaux.*) C'est le Roi qui rentre aux Tuileries.

BOUTARD (*soulagé*). Ah!... bien, tu sais, je respire!

[1] *De long en large:* to and fro.

[2] *Tout réfléchi:* everything considered.

NAPOLÉONETTE (*impatientée*). Tu respires... tu respires... Il y a des moments où tu es idiot, mon vieux Boutard.

BOUTARD. Merci, mon petit.

NAPOLÉONETTE. Le voilà rentré... Qu'est-ce que ça prouve? Que leur coup n'était pas préparé au théâtre: c'est tout. Le danger commence maintenant; il est aux Tuileries. Voilà ce que nous savons.

BOUTARD. C'est déjà ça.[1]

NAPOLÉONETTE (*haussant les épaules*). Oui, mais, c'est grand, les Tuileries.

BOUTARD. Veux-tu que je te dise? Je ne serais pas étonné, s'ils entrent au château, qu'ils passent par ici.

NAPOLÉONETTE. C'est vrai... L'endroit est écarté, obscur... On ne risque de rencontrer personne.

BOUTARD. Et puis, c'est le chemin de la du Cayla... Heureusement, on est là[2]... Pas bien nombreux: un vieux lancier et une jeune fille.

NAPOLÉONETTE (*vexée*). Deux lanciers, s'il te plaît!

BOUTARD (*vivement*). Deux lanciers, oui, deux lanciers! (*Après un petit temps.*) Tout de même, il ne serait pas mauvais que le ministre de la police nous envoyât du renfort. (*Un silence.* BOUTARD *regarde de tous les côtés.*) Ce maudit palais... avec ses grands corridors sombres...

NAPOLÉONETTE. Le fait est qu'ils n'ont jamais été aussi sombres.

BOUTARD. On dirait qu'ils n'en finissent pas[3]... qu'ils s'en vont là-bas, tout là-bas[4]... au tonnerre de Brest![5]

NAPOLÉONETTE. Tais-toi donc, vilain bavard!

(*Quelque chose craque assez fort, dans le silence.*)

[1] *C'est déjà ça:* c'est déjà quelque chose, that is something.

[2] *On est là:* nous sommes là, we are here.

[3] *On dirait qu'ils n'en finissent pas:* you would think that there was no end to them.

[4] *Tout là-bas:* très loin là-bas.

[5] *Au tonnerre de Brest!:* to the end of the world! (to jericho!)

BOUTARD (*vivement*). Hein?

NAPOLÉONETTE. Eh bien quoi!... c'est un meuble qui a craqué!... Le bois, ça craque...

BOUTARD. Le plancher aussi, ça craque, quand on marche dessus...

NAPOLÉONETTE (*un peu amusé*). Ah! ça, dis donc,[1] il est nerveux, le lancier!

BOUTARD. Chut!... Attends!

(*Il court à la fenêtre et regarde dans le jardin.*)

NAPOLÉONETTE. Qu'est-ce qu'il y a?

BOUTARD (*à voix basse*). Parle tout bas, grand Dieu! (*Revenant.*) Non! Rien ne bouge.

NAPOLÉONETTE. Tu avais entendu quelque chose?

BOUTARD. Oui, comme un bruit de pas dans le jardin.

NAPOLÉONETTE. Un chat.

BOUTARD. Un chat botté, alors![2]

NAPOLÉONETTE. Ma parole!... mon vieux Boutard, quelqu'un qui ne te connaîtrait pas pourrait croire que tu as peur!

BOUTARD (*protestant*). Non, je n'ai pas peur! Mais je ne suis pas à mon aise! Là![3]

NAPOLÉONETTE (*étonnée*). Oh!

BOUTARD. Ça t'étonne, toi, gamine!... toi qui m'as vu charger au milieu des Prussiens, sabre en main, un contre dix... et rester tranquille sous la mitraille qui me tombait dessus comme de la grêle! Des ennemis, ça m'est bien égal;[4] à la bataille, on sait où ils sont, on les voit... on les entend. On risque un mauvais coup, bien sûr... mais on sait d'où ça viendra. Un danger comme ça, je m'en moque, comprends-tu?

NAPOLÉONETTE (*moqueuse*). Oui, je comprends, mon brave Boutard.

[1] *Ah! ça, dis donc:* well! well! my word!

[2] *Un chat botté:* A puss in boots.

[3] *Là!:* there now!

[4] *Ça m'est bien égal:* I don't care a rap.

BOUTARD. Mais ce danger-ci... Est-ce que c'est même un danger? On n'en sait rien... Une chose... qui va venir ici, ou bien par là... vous assaillir dans le dos, peut-être... des bruits, des frôlements, des sifflements, des riens, qui vous serrent le cœur [1]... Eh bien, oui, tout ça... ça m'embête!...

NAPOLÉONETTE. Je comprends: tu as la peur des braves.

BOUTARD. C'est ça: tu l'as dit... Il me tarde de savoir où se trouve le danger! Comme je suis bête, tout de même!...

(*Il rit.* NAPOLÉONETTE *rit aussi. Soudain, un bruit, très net et assez proche, d'une grêle de petits cailloux tombant sur une vitre.*)

NAPOLÉONETTE (*saisissant le bras de* BOUTARD). Cette fois-ci...

BOUTARD. Ça y est! [2]

(*Ils vont tous les deux regarder avec précaution à la fenêtre du jardin.*)

NAPOLÉONETTE. Je ne vois rien...

BOUTARD. C'est un signal.

NAPOLÉONETTE. Sûrement. Éteins la lumière. (BOUTARD *va souffler les bougies; nuit complète. Seul, le côté droit de la scène est éclairé par un rayon de lune. Un temps. Avec rage.*) Et Roger qui ne revient pas!

BOUTARD. Il n'a pas trouvé ton Decaze.

NAPOLÉONETTE. Ah! quelle malchance!

BOUTARD. Ou bien il l'a trouvé, et le ministre opère partout, excepté au bon endroit.

NAPOLÉONETTE. Ah! il est si bête!

(*Deuxième bruit de cailloux sur la vitre.*)

BOUTARD. Ça recommence!

NAPOLÉONETTE. On marche tout doucement sur le gravier.

(*Ils vont regarder à la fenêtre.*)

BOUTARD. Des hommes qui traversent le jardin à pas de loup! [3]

[1] *Qui vous serrent le cœur:* that wring your heart.

[2] *Ça y est:* ce sont eux. [3] *À pas de loup:* stealthily.

(*Avec ivresse.*) Enfin! Ah! enfin ... des hommes! On va se battre! Ça va mieux! [1] Ça va tout à fait bien! ...

NAPOLÉONETTE. Attendons-les.

BOUTARD (*qui regarde toujours au fond*). Fichtre! Ils sont toute une bande ... Ma petite, cours chez toi ... appelle ton oncle, les domestiques, tout le monde! Vite, vite! il n'y a plus de temps à perdre ... (NAPOLÉONETTE *court au corridor de droite où elle disparaît.* BOUTARD *va regarder à la porte-fenêtre. Écoutant.*) Ils montent ... Je vais les attendre là, à l'entrée du petit passage.

(*Il se dirige à reculons, vers la gauche et s'arrête à l'entrée du couloir de gauche, au fond. De ce couloir, soudain, sort* GIACOMI, *qui assène à* BOUTARD *un coup de matraque sur la tête;* BOUTARD *se retourne, pousse un cri étouffé. Un second coup de matraque achève de l'étourdir. Il va rouler à terre, à droite de la scène.*)

SCÈNE V

MAUBREUIL, GIACOMI, SOSTHÈNE, VITROLLES, *deux conjurés*

(*Les Ultras, enveloppés de manteaux noirs, entrent au fond.*)

MAUBREUIL (*qui a vu la chute de* BOUTARD). Qu'est-ce donc?

GIACOMI. L'espion! il a son affaire. [2]

MAUBREUIL. Il était temps. À nos postes!

(*Ils se groupent des deux côtés du corridor de gauche au fond.*)

SOSTHÈNE (*à voix basse*). Voilà le Roi.

(*On entend un bruit de serrure, de pas, et dans le corridor du fond gauche, on voit apparaître le* ROI, *enveloppé dans un grand manteau qui cache la figure.*)

[1] *Ça va mieux !:* je me sens mieux, I feel better.

[2] *Il a son affaire:* he has been dealt with.

MAUBREUIL (*très bas*). Attention!

(*Le* Roi *débouche sur le vestibule. Les conjurés l'entourent brusquement et jettent sur lui une couverture. Il pousse un cri étouffé. On le maintient pour l'empêcher de se débattre et on l'entraîne. Pendant ce temps,* Napoléonette *entre à droite, et voit ce qui se passe.*)

NAPOLÉONETTE. Le Roi!... Ils enlèvent le Roi!... Boutard! Où es-tu? (*Elle l'aperçoit par terre.*) Ah!... au secours!

(Boutard *qui s'est remis peu à peu de son étourdissement, s'est soulevé péniblement sur un bras et lui tend son pistolet en lui criant:* tiens, prends. *Elle se précipite en courant et vient barrer le passage aux conjurés qui entraînent leur prisonnier vers le fond. Les conjurés la bousculent.* Giacomi, *qui est le dernier, la frappe violemment près de l'épaule.*)

GIACOMI. Au diable [1] ce petit serpent!

(*Elle pousse un cri de douleur et recule en criant: À moi! Au secours!*)

BOUTARD. Mais tire! Tire donc!

(*Les autres conjurés ont disparu entraînant le* Roi. Napoléonette *tire sur* Giacomi, *resté en arrière. Blessé, il tombe sur le perron du fond, dans l'escalier.*)

BOUTARD (*se redressant*). Bien visé, mon petit! Je n'aurais pas fait mieux!

[1] *Au diable:* confound.

RIDEAU

ACTE CINQUIÈME

(*Le cabinet du* Roi. *Même décor qu'à l'acte II.*)

Scène I

Le comte Decaze, *puis deux gens de police*

(*Au lever du rideau,* Decaze *se promène, l'air un peu soucieux; il attend visiblement quelqu'un. Il tire sa montre, regarde l'heure, fait un mouvement d'impatience. Un silence.*)

DECAZE. Cela devrait être fini maintenant! (*Entre un policier.*) Ah!... eh bien?

LE POLICIER. Les ordres de monsieur le ministre ont été ponctuellement exécutés.

DECAZE. La sentinelle?

LE POLICIER. Emprisonnée.

DECAZE. Bien. Mais les autres?

LE POLICIER. Rien encore.

DECAZE. Que c'est long!

DEUXIÈME POLICIER (*entrant*). Monsieur le ministre, c'est fait.

DECAZE (*vivement*). Enfin!...

DEUXIÈME POLICIER. Ils sont tous arrêtés maintenant.

DECAZE. Mais le lieutenant de Sérignan ne revient pas... Pourvu qu'il ne lui soit rien arrivé!

DEUXIÈME POLICIER. Il y a eu un coup de pistolet tiré dans le palais.

DECAZE (*mécontent*). Et qui l'a tiré, s'il vous plaît?

DEUXIÈME POLICIER. Mais les conspirateurs...

DECAZE (*haussant les épaules*). Ces gens-là ne tuent pas d'un coup de pistolet. C'est un de vos hommes qui, malgré mes recommandations d'agir sans bruit...

PREMIER POLICIER. Cela a causé une vive émotion...

DECAZE. C'est ce que je voulais éviter. Ah! je voudrais bien savoir quel est l'imbécile qui a tiré un coup de feu![1]

[1] *Qui a tiré un coup de feu:* who has fired a shot.

Scène II

DECAZE, NAPOLÉONETTE, *puis* BOUTARD

NAPOLÉONETTE (*qui vient d'entrer, essoufflée, haletante*). C'est moi.

DECAZE (*surpris*). Vous, mademoiselle?

(*Sur un geste de* DECAZE, *les deux policiers sortent.*)

NAPOLÉONETTE. Oui, j'ai tiré sur les gens qui enlevaient le Roi. Car ils ont enlevé le Roi, entendez-vous! Nous avons fait ce que nous avons pu, Boutard et moi, pour les empêcher ... Où est-il, Boutard? (*Elle va au fond et aperçoit* BOUTARD *qui rentre en se tâtant le front.*) Le voilà!... Il est encore un peu étourdi. Mais, à nous deux,[1] qu'est-ce que vous vouliez que nous fissions? J'ai été bousculée, frappée...

DECAZE (*vivement*). Ça, je ne l'avais pas prévu.

NAPOLÉONETTE (*montrant* BOUTARD). Lui, il a été à moitié assommé. S'il en revient,[2] c'est qu'il a la tête dure.

BOUTARD. Ça m'a un peu étourdi...

DECAZE. Je n'avais pas prévu ça non plus...

NAPOLÉONETTE (*agressive*). Qu'est-ce que vous avez prévu? Je vous ai fait prévenir par mon cousin Roger que les Ultras préparaient un sale coup... Où est-il, Roger?

DECAZE. Je lui ai confié une commission... des plus importantes.

NAPOLÉONETTE (*continuant, indignée*). Qu'avez-vous fait pour les empêcher d'accomplir leur vilaine besogne?... Ah! oui... je sais: vous avez doublé la garde, fait surveiller les grandes entrées du palais, commandé des rondes, des patrouilles... ordres de ministres, de fonctionnaire! quoi!... Mais quant à trouver le bon endroit, à y mettre quelques hommes sûrs et à prendre les conspirateurs la main dans le sac,[3] bernique!

[1] *Mais, à nous deux:* but there being only the two of us.

[2] *S'il en revient:* s'il s'en remet, if he recovers.

[3] *La main dans le sac:* in the very act.

... Le bon endroit, sur le passage des Ultras, c'est le laquais Joseph, ou plutôt le lancier Boutard, qui s'y trouve avec la petite de Sérignan ...

BOUTARD (*dans un même mouvement*). Et ils s'y font casser la gu [1] ...

NAPOLÉONETTE (*vivement, interrompant*). La figure.

BOUTARD (*énergiquement*). Voilà! [2]

NAPOLÉONETTE (*même jeu*). Voilà!

DECAZE. Je récompenserai ce brave garçon ... Je lui trouverai une place dans ma police ...

NAPOLÉONETTE (*montrant la grimace que fait* BOUTARD). Si vous croyez que ça lui fera plaisir! ... (*Redoublant d'indignation.*) Mais, est-ce que vous allez vous remuer, dites donc, monsieur le ministre? Je vous dis qu'ils ont enlevé le Roi, et voilà tout l'effet que ça vous produit? [3] ... (*Prenant* DECAZE *par le bras et le secouant.*) Mais, si on leur court après, on peut encore les retrouver, les rattraper! Sauvez le Roi, bon sang!

DECAZE (*flegmatique*). Rien à faire pour le moment! ... Mes précautions sont prises.

NAPOLÉONETTE. Hein?

DECAZE. Mon plan est établi. D'ailleurs, voulez-vous attendre quelques instants? Je vous rassurerai complètement tout à l'heure.

NAPOLÉONETTE (*abasourdie*). Ah! ...

DECAZE. Quelques minutes seulement ...

(*Il retourne s'asseoir à la table, très tranquille, et feuillette des papiers.*)

NAPOLÉONETTE (*bas à* BOUTARD). Boutard!

[1] *Et ils s'y font casser la gu ...*: (figure), and there they are getting their skulls cracked (their faces bashed). Again old Boutard is on the point of using the very strong and coarse expression "gueule" (mug) when he is corrected by Napoléonette.

[2] *Voilà!:* there you are!

[3] *Que ça vous produit:* que cela vous cause, that it produces on you.

BOUTARD (*bas*). Mon petit!

NAPOLÉONETTE (*bas*). C'est trop fort! [1]

BOUTARD. Ah! oui, alors! [2]

NAPOLÉONETTE (*bas*). Veux-tu que je te dise? ... Il en est.[3]

BOUTARD (*bas avec conviction*). Oui, il en est! (*Se reprenant.*) De quoi est-il?

NAPOLÉONETTE (*bas*). Des Ultras! Il est avec eux. Lui aussi veut "Charleroi."

BOUTARD (*frappé*). Oh! ...

NAPOLÉONETTE (*bas*). Si nous l'arrêtions? [4]

BOUTARD (*vivement, bas*). Lui! Le ministre de la police!

NAPOLÉONETTE (*crânement*). Pourquoi pas?

BOUTARD. À nous deux? [5]

NAPOLÉONETTE (*avec énergie*). À nous deux!

DECAZE (*se retournant*). Qu'est-ce que vous racontez donc?

NAPOLÉONETTE (*frémissante*). Nous avons compris, monsieur le ministre.

DECAZE. Qu'est-ce que vous avez compris?

NAPOLÉONETTE. Que vous ne vouliez rien faire!

BOUTARD. Et on devine pourquoi!

DECAZE (*souriant*). Ah! bah!

NAPOLÉONETTE. Mais nous nous mettrons en travers de [6] vos desseins!

BOUTARD. Parfaitement.

NAPOLÉONETTE. Et si le Roi n'a plus, dans son malheur, que deux amis fidèles, ce seront les deux bonapartistes du palais.

BOUTARD. Le lancier Boutard ...

NAPOLÉONETTE. Et la filleule de Napoléon!

[1] *C'est trop fort!:* voyez la note 3, page 105.

[2] *Ah! oui, alors!:* ah! I should say so!

[3] *Il en est:* il fait partie des Ultras, he belongs to the Ultras.

[4] *Si nous l'arrêtions?:* what about arresting him?

[5] *À nous deux?:* the two of us.

[6] *Nous nous mettrons en travers de:* we shall block.

DECAZE (*ironique*). Dieu me pardonne, mademoiselle, je crois que vous me soupçonnez d'une forfaiture?

NAPOLÉONETTE. Oh! appelez ça comme vous voudrez! [1]

DECAZE (*se levant*). Eh bien, mademoiselle, je vais vous montrer un témoin irrécusable de mon dévouement à la cause de Sa Majesté. (NAPOLÉONETTE *hausse les épaules.* DECAZE *montre la porte de gauche, par où vient d'entrer le* ROI *souriant.*) Sire!

SCÈNE III

Les mêmes, le ROI

LE ROI (*en grand costume de gala*). Je crois, mon cher ministre, qu'il est temps que j'intervienne, sans quoi [2] ma petite amie va vous mettre la main au collet.[3]

NAPOLÉONETTE (*reculant, comme devant un fantôme*). Le Roi! ... (*Elle ne peut en croire ses yeux.*) Vous, Sire ... c'est vous! ...

LE ROI. C'est moi-même, ma chère petite, bien vivant et en bonne santé.

NAPOLÉONETTE (*étouffant de joie et riant. Mais, brusquement son rire se change en larmes*). Ah! ...

(*Elle se jette à son cou en pleurant.*)

LE ROI (*finement*). Pour la seule bonapartiste du palais, voilà bien de l'attachement à la monarchie.[4] (*Il l'embrasse affectueusement.*) Et maintenant, serrez la main de mon bon ami le *Duc* Decaze ... (*Il insiste sur le mot Duc.* DECAZE *s'incline profondément.*) Il avait une revanche à prendre: il l'a bien prise.

NAPOLÉONETTE. Comment cela?

[1] *Comme vous voudrez:* as you wish.

[2] *Sans quoi:* if I don't, otherwise.

[3] *Va vous mettre la main au collet:* is going to seize you by the neck.

[4] *Voilà bien de l'attachement à:* this is a great devotion to.

DECAZE (*s'inclinant*). Grâce à vous, mademoiselle, qui m'avez fait avertir.

LE ROI. Et surtout à votre perspicacité, mon cher Decaze; car en rapprochant [1] l'avertissement de mademoiselle de Sérignan de certaine lettre sur laquelle j'ai eu tout de suite des doutes...

DECAZE. Et vous aviez raison.

LE ROI. Dieu merci!... Vous avez deviné sur le champ tous les détails de ce hardi complot.

NAPOLÉONETTE (*à* DECAZE). Eh bien, vrai, vous êtes merveilleux!... et moi qui disais, il y a une demi-heure à Boutard, que vous étiez... Est-il vraiment possible que je me sois ainsi trompé?

DECAZE (*lui baisant la main*). Laissez-moi vous punir!

NAPOLÉONETTE. Mais alors, qui a-t-on enlevé? Car on a enlevé quelqu'un, tout de même... (*Riant.*) Je l'ai vu emporter, paqueté comme un saucisson...

LE ROI. C'est votre cousin.

DECAZE. Le lieutenant de Sérignan qui s'est bravement dévoué pour jouer le rôle du Roi.

NAPOLÉONETTE (*riant de plus belle*).[2] Roger! C'était Roger, le saucisson!

SCÈNE IV

Les mêmes, CHALINDREY, *puis* ROGER

CHALINDREY (*entrant au fond et saluant*). Sire, voici le lieutenant de Sérignan.

LE ROI. Qu'il entre.

CHALINDREY. Sa mission a réussi de point en point.[3]

[1] *En rapprochant:* by establishing a connection between the warning and the letter.

[2] *Riant de plus belle:* laughing more than ever.

[3] *De point en point:* entièrement, entirely.

DECAZE (*interrogeant*). Les conspirateurs?

ROGER (*entrant et saluant*). Arrêtés!

DECAZE (*avec satisfaction*). Après un attentat commis sur quelqu'un qu'ils croyaient être la personne royale... Cette fois nous les tenons!

LE ROI. Et celui qui s'est bravement dévoué en prenant ma place, c'est vous, lieutenant de Sérignan... Je ne l'oublierai pas.

ROGER (*s'inclinant*). Sire, tout autre officier de Sa Majesté l'aurait fait comme moi.

LE ROI. Il n'empêche, monsieur, que [1] je tiens à m'acquitter envers vous.[2] (*Avec un sourire.*) Allez nous chercher mademoiselle...

NAPOLÉONETTE (*courant à* ROGER, *joyeusement, et, à son oreille, finissant la phrase du* ROI). ... de Cheneçay.

ROGER (*balbutiant*). Mademoiselle... de Cheneçay?

LE ROI (*malicieusement*). Allez!

NAPOLÉONETTE (*espiègle avec un grand geste*). Allez!

(ROGER *salue et sort au fond.*)

DECAZE (*s'avançant*). Je demande pardon à Sa Majesté de l'interrompre, mais Votre Majesté a du sang, là, au cou.

LE ROI (*étonné*). Du sang? (*Mouvement général.*)

NAPOLÉONETTE. Le Roi serait-il blessé?

LE ROI. Nullement... Je ne puis comprendre...

CHALINDREY (*regardant* NAPOLÉONETTE). Mais c'est mademoiselle de Sérignan qui est blessée. Elle a du sang à l'épaule.

DECAZE. Alors, en embrassant le Roi, tout à l'heure, elle a dû...

LE ROI (*très effrayé*). Mais c'est vrai.

(*On voit en effet, à travers la manche de* NAPOLÉONETTE, *une large tache rouge.*)

[1] *Il n'empêche... que:* the fact remains.

[2] *Je tiens à m'acquitter envers vous:* I insist on paying my debt to you.

NAPOLÉONETTE (*portant sa main au haut de son bras gauche, gaiement, bravement*). Pas possible . . . Ah! mais oui . . . ça me fait mal en y touchant . . . et ça saigne . . . C'est un coup que j'ai reçu. Je croyais que c'était un coup de poing. C'est un coup de couteau! (*Elle rit.*) Ça c'est drôle!

LE ROI. Ah! les bandits! Et c'est en croyant me défendre que cette enfant a été frappée! (*Il va à elle.*)

NAPOLÉONETTE (*essayant de sourire*). Ce n'est pas grand' chose.[1] (*Le* ROI *la fait asseoir.*) Seulement, j'ai dû rouvrir la blessure, que le sang avait bouchée.

BOUTARD (*examinant la plaie*). Ce n'est rien . . . Tu en as vu d'autres que ça,[2] n'est-ce pas, mon petit?

LE ROI. Un médecin, bien vite!

NAPOLÉONETTE (*retenant* BOUTARD *du geste*). Ce n'est pas la peine, Sire[3] . . . Monsieur de Chalindrey va panser cela très bien . . . Il en a l'habitude.

LE ROI (*stupéfait*). L'habitude?

NAPOLÉONETTE (*tendant son bras à* CHALINDREY). Vous voulez bien, mon lieutenant?[4]

CHALINDREY (*tremblant un peu*). Mais certainement . . .

(*Il prend son mouchoir et commence à étancher le sang.*)

NAPOLÉONETTE (*à* CHALINDREY). À Waterloo, ça n'a pas été si compliqué, n'est-ce pas, mon lieutenant? seulement là-bas, c'était à la jambe.

LE ROI. À la jambe?

NAPOLÉONETTE. Oh! Sire . . . Mais c'était très convenable, parce qu'à ce moment-là, j'étais un garçon.

LE ROI. Hein!

NAPOLÉONETTE. J'étais même un lancier . . .

[1] *Ce n'est pas grand' chose:* ce n'est rien, it is a mere nothing.

[2] *Tu en as vu d'autres:* voyez la note 2, page 4.

[3] *Ce n'est pas la peine:* it is not worth while.

[4] *Vous voulez bien?:* you are quite willing?

LE ROI (*effrayé, à* DECAZE). Ah! mon Dieu!... elle a le délire! [1]

NAPOLÉONETTE. Mais non, Sire... Vous n'y êtes pas [2]... Je... mais qu'est-ce que j'ai?... Voilà que je vais m'évanouir!... Ah! bien, c'est gentil pour un lancier [3]...

(*Elle perd connaissance dans les bras de* CHALINDREY *qui la retient.*)

CHALINDREY (*éperdu*). Elle se trouve mal, il faudrait du secours, c'est cette blessure! (*Très tendrement.*) Voyons, ma chérie... ma chérie...

NAPOLÉONETTE (*revenant à elle et regardant* CHALINDREY *toute émue*). Ma chérie!... Ah! ça va mieux! (*Un temps.*) C'est un étourdissement! [4]... (*Changeant de ton et regardant* CHALINDREY *avec tendresse.*) Non, un éblouissement!...

LE ROI (*tout ému par cette scène, à* DECAZE). Un éblouissement! Je comprends.

SCÈNE V

Les mêmes, LE MARQUIS, *et* LA MARQUISE DE SÉRIGNAN, *puis* ROGER *et* HÉLÈNE

LA MARQUISE (*entrant en coup de vent*). Ah! Sire! Que viens-je d'apprendre? Votre Majesté a été en péril!

LE MARQUIS (*bredouillant, essoufflé*). En péril... Votre Majesté... a été!

LE ROI. Aucunement, madame, grâce à cette petite, au lieutenant de Sérignan et à ce brave garçon. (*Il montre* BOUTARD.)

LE MARQUIS (*toisant* BOUTARD). Ce laquais?

LE ROI. Un ancien soldat.

[1] *Elle a le délire:* she is delirious.

[2] *Vous n'y êtes pas:* vous ne comprenez pas.

[3] *C'est gentil pour un lancier:* a fine thing for a lancer to do.

[4] *Étourdissement... éblouissement:* these two words mean dizziness, but éblouissement means also dazzling; hence the correction made by Napoléonette.

LE MARQUIS (*méprisant*). De l'Empereur!

LE ROI. Mais qui ne refusera pas de rentrer, comme adjudant, dans ma garde.

BOUTARD (*ne pouvant plus se contenir*). Adjudant, moi! Ah! nom de tonnerre! (*Se reprenant, effaré.*) Ah! Sire... Quel brave homme vous êtes!

LE MARQUIS (*au* ROI). Nous avons eu une telle émotion...

LE ROI. Vous allez en avoir une autre. Je vous annonce que je marie votre nièce et votre fils.

LA MARQUISE (*rayonnante*). Ah! Sire!

LE ROI (*bonhomme*). Oui, mais pas ensemble. Votre nièce avec le lieutenant de Chalindrey.

LE MARQUIS ET LA MARQUISE (*avec une grimace*). Hein?

LE ROI. Et votre fils avec mademoiselle de Chéneçay...

HÉLÈNE ET ROGER (*qui sont entrés discrètement depuis un instant*). Ah! Sire!...

LA MARQUISE (*suffoquée*). Une fille sans dot!

LE ROI. Mais elle en a une... que je lui offre sur ma cassette.[1]

ROGER ET HÉLÈNE. Ah! Sire!... Merci, merci!

NAPOLÉONETTE (*s'avançant*). Votre Majesté fait les choses...

LE ROI (*souriant et l'embrassant paternellement sur le front*). Royalement... Que voulez-vous,[2] c'est mon métier!...

(*Et tous les assistants saluent profondément le vieux* ROI, *qui, prenant le bras de son ministre* DECAZE, *semble se dire, avant d'aller enfin se coucher, que, pareil à l'empereur romain Titus,*[3] *il n'a pas perdu sa journée.*)

[1] *Sur ma cassette:* from my privy-purse.

[2] *Que voulez-vous:* well, you see...

[3] TITUS: Empereur romain, fils de Vespasien. Pour sa grande bonté, il mérita d'être appelé "Les Délices du genre humain" (The delight of mankind). *Diem perdidi*, j'ai perdu ma journée, disait-il, lorsqu'il n'avait pas accompli une bonne action.

RIDEAU

EXERCICES

PROLOGUE

Leçon I

I

Lecture, Dictée, Récitation

La scène du prologue se passe en 1815 dans la plaine de Waterloo. Cette scène nous montre un aspect intéressant d'un coin de ce fameux champ de bataille qui devait décider du triomphe ou de la chute de Napoléon.

Près d'une cabane de paysan, située dans le bois de Bossut, nous voyons le colonel de Sérignan grièvement blessé, entouré de son fils, le jeune Léo, et de son ordonnance, le lancier Boutard. C'est grâce à la bravoure du lieutenant de Chalindrey que le colonel est encore vivant. Le colonel de Sérignan meurt après avoir révélé au maréchal que Léo est une fille et au moment même où l'armée française bat en retraite, poursuivie par la cavalerie ennemie.

II

Répondez aux questions suivantes:

1. Où se passe la scène du prologue?
2. Quels étaient les adversaires de Napoléon à la bataille de Waterloo?
3. En quelle année a eu lieu cette bataille?
4. Avec qui le maréchal cause-t-il et quel ordre fait-il donner?
5. Que fait le maréchal lorsqu'il est assis sur un tronc d'arbre?
6. Où doit se porter la division Gérard?
7. Qui est-ce qui arrive au moment où le maréchal est monté sur un talus?
8. Qu'annonce le lancier Boutard au maréchal?
9. Que dit Léo en voyant le maréchal?
10. Comment s'appelle le fils du colonel de Sérignan?
11. Pourquoi Léo dit-il au lieutenant Chalindrey, "C'est à la vie, à la mort nous deux maintenant"?
12. Pourquoi Chalindrey soutient-il le petit Léo dans ses bras?
13. Depuis quand Chalindrey est-il au service de l'Empereur?

14. Pourquoi a-t-il refusé la croix de la Légion d'Honneur?
15. Quel ordre le colonel donne-t-il au lieutenant de Chalindrey?
16. Pourquoi Boutard ne veut-il pas quitter le colonel?
17. Comment le colonel traite-t-il le lancier Boutard?

III

(*a*) Mettez l'article convenable devant les noms suivants:
— clairière, — champ, — cabane, — paysan, — forêt, — plaine, — route, — bois, — nuit, — lever du rideau, — maréchal, — canon, — cheval, — ordre, — troupe, — croix, — jour, — jambe, — soldat, — coup.
(*b*) Mettez au pluriel les noms ci-dessus.

IV

Étudiez les expressions suivantes:
1. Passez à droite. 2. Ne passez pas à gauche. 3. Venez par ici. 4. N'allez pas par là. 5. La route doit être là-bas. 6. Dites-lui d'attacher les chevaux. 7. Asseyez-vous. 8. La route est près d'ici, près de ce village. 9. Que voyez-vous? 10. Ce sont des fuyards. 11. Autour du village, loin de la route. 12. Puis-je vous aider? 13. C'est lui qui m'a aidé à l'amener. 14. Êtes-vous prêt? 15. Pas encore. 16. Personne n'en reviendra. 17. Il ne reste plus personne. 18. Que je suis content! 19. Qu'avez-vous? 20. Ce n'est rien, rien de sérieux. 21. C'est entre nous à la vie à la mort. 22. Il est fatigué. 23. Il n'en peut plus. 24. Il va dormir. 25. Il est endormi. 26. Il se repose. 27. Veillez-le. 28. Soyez tranquille.

V

Traduisez d'abord lentement, puis rapidement, les phrases suivantes:
1. Is it here? 2. The road must be over there. 3. Please (*veuillez*) give the order to tie up the horses. 4. Marshal Moncey sits on the trunk of a tree. 5. He unfolds a map and studies it for a moment. 6. Do you see the road near-by? 7. It is there that the Gérard division must pass? 8. Troops are passing over there (two ways). 9. They are runaways that you see. 10. It is a retreat. 11. Everything is not lost yet. 12. Marshal Moncey climbs an embankment and looks with his field-glass when Boutard arrives in a hurry. 13. Is there a shelter for a wounded officer? 14. Yes, there is that

hut. 15. This officer will be able to tell us where the Emperor is. 16. What is it? 17. Colonel Sérignan is badly wounded. 18. Can I help you? 19. Go and get these two men. 20. No one will return from that battle. 21. It is nothing serious. 22. Without you I should have been killed. 23. What is the matter with him? 24. He did not stop marching for twenty-four hours. 25. He must rest. 26. Do not worry. 27. How long have you been in the service of Napoléon? 28. I enlisted during the last campaign. 29. Tell the Emperor that Colonel Sérignan has just been wounded. 30. Take away that man; the Emperor will have some instruction to give him. 31. I shall not leave you.

Leçon II (*suite du prologue*)

I

Répondez aux questions suivantes:

1. Comment le colonel de Sérignan parle-t-il de sa mort prochaine?
2. Quel est son seul regret?
3. Pourquoi Léo ne pourra-t-il pas devenir un bel officier?
4. Quel est le véritable nom de Léo et quel est le nom de son parrain?
5. Quelles sont les deux autres personnes qui connaissent sa véritable identité?
6. Qui pourra recueillir Léo si les événements tournent mal?
7. De la part de qui Chalindrey remet-il un pli au maréchal Moncey?
8. Quel ordre le maréchal Moncey reçoit-il?
9. Que dit-il en quittant le colonel de Sérignan?
10. Par quoi Léo est-il réveillé et que demande-t-il à Chalindrey?
11. À quelle distance se trouve l'Empereur?
12. Quel est l'âge de Léo et depuis quand suit-il son père aux armées?
13. Pourquoi Léo pousse-t-il un cri de douleur?
14. Comment Chalindrey soigne-t-il la blessure de Léo?
15. Comment Léo remercie-t-il le lieutenant?
16. Quelle nouvelle apporte le lancier Boutard?
17. Quel ordre a donné l'Empereur?
18. Pourquoi faut-il emporter le colonel?
19. Comment Chalindrey annonce-t-il la mort du colonel?
20. Que fait alors le brave Boutard?

II

Remplacez le tiret par un des articles contractés *du*, *de*, *la*, *des*, *de l'*:

1. La cabane — paysan. 2. La retraite — l'armée. 3. Le cheval — maréchal. 4. Les ordres — Empereur. 5. La modestie — soldats. 6. La lisière — bois. 7. La carrière — armes. 8. Le filleul — impératrice. 9. Les événements — guerre. 10. La valeur — argent. 11. La paille — cabane. 12. Le cuir tanné — grognard. 13. L'ordre — retraite. 14. Le tumulte — clairons et le grondement — canon.

III

Étudiez le verbe *devoir* dans les phrases suivantes:

1. Les troupes doivent passer bientôt sur cette route.
2. Les troupes devaient passer sur cette route, mais elles ont été arrêtées.
3. L'Empereur a dû passer, mais nous ne l'avons pas vu.
4. Les troupes devraient passer sur cette route.
5. Les troupes auraient dû passer sur cette route, mais elles ont dû recevoir un ordre contraire.
6. Je ne crois pas qu'elles doivent passer sur cette route.

IV

Étudiez, puis traduisez les expressions suivantes:

1. Je vous verrai plus tard. 2. Il ne veut pas me quitter. 3. Le voici qui vient. 4. Le voilà qui part. 5. À la bonne heure! 6. Je vous donne ma parole d'honneur. 7. Les événements peuvent mal tourner. 8. Allez chercher l'officier. 9. Dites-lui de venir tout de suite. 10. Tout est-il prêt? 11. Pas encore. 12. Je me sens mieux. 13. Vous serez mieux là près de moi. 14. Je vous retrouverai tout à l'heure. 15. Dans un instant. 16. Entrez dans la cabane. 17. Il ouvre les yeux. 18. Il doit souffrir. 19. Non, il est bien reposé. 20. Il y a longtemps que je suis ici. 21. Il est debout. 22. Qu'est devenu mon père? 23. Qu'avez-vous? 24. Qu'y a-t-il? 25. Le genou me fait mal. 26. J'ai mal au pied, au genou. 27. Ôtez votre chapeau. 28. Défaites mon pansement. 29. Ne bougez pas. 30. Vous faites bien. 31. Cet homme me plaît. 32. Amenez-le. 33. Emmenez-le. 34. Apportez-les. 35. Emportez-les. 36. Il arrive en courant. 37. Dépêchez-vous. 38. Tout est fini.

V

Traduisez d'abord lentement, puis rapidement, les phrases suivantes:

1. Do not leave me. 2. I shall see you later on. 3. I give you my word. 4. Will you go and get Boutard? 5. Where is he? 6. I saw him entering the hut. 7. Is everything ready? 8. Not yet. 9. I shall find you again here in a little while. 10. You would be better near the hut. 11. Do you feel better? 12. No, I feel weaker. 13. It is nothing serious. 14. Colonel de Sérignan has been badly wounded. 15. Léo has only a light wound. 16. Léo is hanging at Boutard's neck. 17. Léo is exhausted; he has walked the whole day. 18. Léo has slept soundly for two hours. 19. Now he opens his eyes. 20. I feel rested. 21. I have been here for a long time. 22. Léo was born on the same day as his godfather Napoléon. 23. What has become of my father? 24. Here is Boutard; he will tell you. 25. Will you help me to take off my boot? 26. Take off your hat. 27. Marshal Moncey is sitting on the trunk of a tree and is looking at a map. 28. The aide-de-camp is standing. 29. Boutard looks very anxious. 30. Why is he limping? 31. He was wounded the day before. 32. Can you undo my dressing? 33. You hurt me. 34. My knee hurts me. 35. Do not move. 36. Boutard has gone out without saying anything. 37. Who is calling? It is the colonel. 38. I like Chalindrey (*plaire*); he is a brave young man. 39. We must take the colonel away. 40. It is too late. 41. What is happening? 42. The colonel is dead. 43. Napoléon has just given the order to beat a retreat.

ACTE I

LEÇON III (*scènes* I–III)

I

Lecture, Dictée, Récitation

Le premier acte de cette comédie se passe dans une galerie du Palais des Tuileries. Après la bataille de Waterloo, qui termine la période des "Cent-Jours," Napoléon a été exilé à Sainte-Hélène et Louis XVIII est redevenu Roi de France.

Roger de Sérignan et mademoiselle de Chéneçay causent dans la galerie et portent sur le nouveau régime un jugement assez peu flatteur; mais ils sont trop jeunes pour se laisser absorber par la politique et au moment même où ils vont s'avouer leur amour, ils sont interrompus par l'arrivée du marquis et de la marquise de Sérignan. Personnages plutôt ridicules, très infatués de leur titre de noblesse et de leur haute fonction auprès du Roi, le marquis et la marquise de Sérignan annoncent à leur fils Roger qu'ils ont formé le projet de lui faire épouser sa cousine mademoiselle de Sérignan dont le père a été tué à Waterloo. Roger proteste contre un tel projet, mais ses parents restent inflexibles. Boutard, l'ex-lancier, arrive alors pour offrir ses services comme laquais.

II

Répondez aux questions suivantes:

1. À qui Roger ne veut-il pas dire bonjour?
2. Quelles raisons donne-t-il pour cela?
3. Pourquoi l'atmosphère de la cour est-elle si triste?
4. Par quoi la cour du vieux Roi est-elle glacée?
5. Quelle est la seule personne qui ait de la gaieté et du mouvement?
6. Pourquoi les parents de Roger tolèrent-ils Napoléonette?
7. Pourquoi Roger ne veut-il pas épouser sa cousine?
8. Pourquoi mademoiselle de Chéneçay s'enfuit-elle rapidement?
9. De quoi mademoiselle de Chéneçay est-elle accusée?
10. Quelles sont les intentions du marquis et de la marquise de Sérignan au sujet de leur fils?
11. Comment Roger accepte-t-il les projets de ses parents?
12. Que fera son père s'il refuse d'obéir à ses ordres?
13. Que dit Boutard en se présentant au marquis?
14. Quel sera son nom désormais?
15. Que répond Boutard lorsque le marquis lui demande s'il a été soldat?

III

Explication d'expressions idiomatiques:

Être de service.	To be on duty.
Que voulez-vous dire?	What do you mean?
Le bruit court.	There is a rumor.
Dites-lui cela de ma part.	Tell him that from me, on my part.
Être riche à millions.	To have millions.
À ce qu'il paraît.	So it seems.

IV

Remplacez le tiret par l'un des articles contractés *au*, *à la*, *à l'*, *aux*:

1. Hélène parle — officier. 2. Le maréchal a donné des ordres — soldats. 3. Portez cet ordre — Empereur. Le colonel a été sauvé grâce — lieutenant. 5. Le marquis reproche à Roger de conter fleurette — jeune fille. 6. Roger sera envoyé — fond des provinces. 7. Le marquis parle — laquais. 8. Boutard est — service de Sa Majesté.

V

Traduisez de vive voix et rapidement les expressions suivantes:

1. Sometimes. 2. Rarely. 3. This way. 4. That way. 5. Soon. 6. From time to time. 7. May I help you? 8. Wait. 9. Come here. 10. Around that village. 11. Sit down. 12. He was standing. 13. I am glad to see you. 14. How glad I am to see you! 15. Let me help you. 16. I must rest. 17. Do not worry. 18. I see him over there. 19. Go and get Boutard. 20. Where is he? 21. I do not want to leave you alone. 22. You will be better over there. 23. Good-bye. 24. What is the matter? 25. What is the matter with her?

VI

Traduisez par écrit, puis de vive voix:

1. Why don't you want to say good morning to me? 2. We must not speak to officers when they are on duty. 3. I am no longer on duty. 4. What do you mean? 5. Admit that it is not very gay here. 6. Do people sometimes laugh here? 7. Very seldom. 8. You mean never? 9. Life would be unbearable if it were not for Napoléonette. 10. There is a rumor that Roger will marry his cousin. 11. Can you believe such a thing? 12. He loves another. 13. He would like so much to tell her, but he dare not. 14. Speak to her on my part, will you? 15. That will be indifferent to her. 16. I shall tell her all that. 17. The marquis is making her run away. 18. Things are more advanced than we thought. 19. I shall sum up our intentions as far as you are concerned. 20. Napoléonette has millions. 21. But Napoléonette is not thinking of me. 22. See to it that she thinks of you. 23. Roger is rather handsome; he is a real Sérignan.

Leçon IV (*suite des mêmes scènes*)

I

Répondez aux questions suivantes:

1. De qui Napoléonette est-elle la fille?
2. Comment les soldats l'appelaient-ils avant la mort de son père?
3. Que fait Boutard lorsqu'on lui dit qu'il s'appellera désormais Joseph?
4. Que fait le marquis avant d'accepter les services de Boutard?
5. Que dit-il après avoir vu marcher Boutard?
6. Dans quel régiment Boutard a-t-il servi?
7. Au service de qui sera-t-il désormais?

II

Remplacez le tiret par un adjectif possessif:

1. Comment vous appelez-vous, — garçon? 2. Au revoir, — ami. 3. À bientôt, — chère amie. 4. — frère est mort à Waterloo. 5. Je ne connais pas — intentions. 6. — famille est très riche. 7. — enfants sont encore très jeunes. 8. Roger ne sera jamais — mari. 9. Joseph! ce n'est pas — nom! 10. L'ennemi est sur — pas. 11. — cavalerie vient de charger. 12. — hommes sont fatigués.

III

Explication d'expressions idiomatiques:

Tenir garnison.	To be garrisoned.
Conter fleurette à.	To flirt with.
Être bien tourné.	To be, look handsome, to have a good appearance.
Faites en sorte que.	See to it that.

IV

Conjuguez les verbes suivants au temps indiqué:

1. Je m'en vais chez mon ami.
2. Je sais ce que je dis.
3. Je fais ce que je veux.
4. Je serai mieux près de la cabane.
5. Puis-je l'aider à transporter le blessé?
6. Il faut absolument que je me repose.
7. Je perds mon temps à lui parler.

V

Traduisez par écrit, puis de vive voix:

1. What do you mean? 2. You must marry your cousin. 3. Everyone thought she was a boy and soldiers used to call her Léo. 4. If I have consented to receive her in my home, it is on the condition that no one would ever know that she has served Napoléon. 5. Roger looks at his father and goes out. 6. Is it to Mr. de Sérignan that I have the honor of speaking? 7. Well! What do you want? 8. Ah, good! here is the new lackey. 9. I will join you in a moment, my dear. 10. What do you call yourself? 11. Now you will be called Joseph. 12. Boutard has some difficulty in repressing (*dissimuler*) a grin. 13. Come! Walk a little before me. 14. Have you been a soldier? 15. Well! forget that you have been a soldier and be a good valet.

Leçon V (*scènes* IV, V, VI, VII, VIII)

I

Lecture, Dictée, Récitation

Le laquais Joseph reconnaît dans mademoiselle de Sérignan le petit Léo qu'il n'a pas revu depuis Waterloo. Napoléonette est si heureuse de retrouver le fidèle serviteur de son père qu'elle saute au cou de l'ex-lancier et l'embrasse affectueusement. Elle lui promet sa protection; puis, elle le présente à son cousin Roger de Sérignan.

La marquise de Sérignan entre en scène pour annoncer que le Roi va faire une promenade dans les appartements; elle remarque avec plaisir que Napoléonette et Roger semblent se faire la cour. Napoléonette reconnaît dans un jeune officier de la Garde le lieutenant Chalindrey qui, à Waterloo, a soigné sa blessure, mais elle éprouve un sentiment de dépit en apprenant que Chalindrey est le protégé de madame du Cayla, une intrigante et la favorite du Roi.

Au cours de la promenade, le Roi, attiré par le visage gai et ouvert de Napoléonette, cause amicalement avec cette dernière; Napoléonette profite des bonnes dispositions du Roi à son égard pour lui demander une audience qui lui est accordée.

II

Répondez aux questions suivantes:

1. Que dit Boutard lorsque le marquis est sorti?

2. Que demande Napoléonette au laquais?
3. Comment Boutard reconnaît-il le petit Léo dans Napoléonette?
4. Comment celle-ci manifeste-t-elle sa joie en retrouvant l'ancien serviteur de son père?
5. Comment désire-t-elle être appelée par Boutard?
6. Racontez comment Boutard a réussi à être admis au Palais.
7. Pourquoi Napoléonette n'aime-t-elle pas la cour du Roi?
8. Que pense-t-elle du Roi?
9. Que dit Boutard en voyant arriver quelqu'un?
10. Comment Napoléonette présente-t-elle Boutard à son cousin?
11. Que pense Napoléonette du projet de mariage conçu par la famille de Sérignan?
12. De quoi Roger a-t-il peur?
13. Pourquoi Napoléonette éclate-t-elle de rire?
14. Que feront les deux jeunes gens lorsqu'ils seront devant leurs parents?

III

Explication d'expressions idiomatiques:

Je m'en charge.	I take it upon me.
Ce n'est pas la peine.	It is not worth while.
Se faire la cour.	To make love to one another.
Je ne me plais pas ici.	I do not like it here.
Par-dessus le marché.	Into the bargain.
Il en a de l'aplomb.	He has some nerve.
Avoir l'air.	To look.
Avoir l'air de.	To look as if, to look like.

IV

Remplacez le tiret par un adjectif démonstratif *ce*, *cet*, *cette*, *ces*:

1. Asseyez-vous près de — cabane. 2. Voici le sabre de — officier. 3. Comment s'appelle — valet de pied? 4. Je n'aime pas — tutoiement. 5. Voulez-vous remettre — lettre au marquis? 6. Je ne reconnais pas — homme. 7. Napoléonette n'approuve pas — projets de mariage. 8. Ne faites pas allusion à — passé déplorable.

V

Traduisez par écrit, puis de vive voix:

1. What is the matter with that old fellow? 2. I do not think that

I shall stay very long here. 3. Has the marquis gone that way? 4. Do not look so surprised. 5. Don't you recognize old Boutard? 6. You look funny all shaved like that! 7. It is not your uncle's opinion. 8. Whenever we are alone, call me Léo. 9. Oh! what a pleasure it gives me to see you! 10. Tell me what has become of you since Waterloo. 11. I have become a valet. 12. How was that done? 13. I was just beginning to die of hunger. 14. They made me put on that costume, and here I am. 15. They will not expell you, I take it upon me. 16. I have just been introduced to your uncle. 17. It took me six months to get accustomed to it. 18. On top of it all, they never lose an opportunity to speak ill of my godfather. 19. I have no desire to remain here. 20. Has mademoiselle any other order to give me? 21. You may go, Joseph. 22. You look as if you had swallowed your lance. 23. They shake hands. 24. How stupid you are, Roger! 25. I think that this marriage is quite a natural thing. 26. I like you, but not enough to marry you. 27. I beg your pardon. 28. Your parents will believe that we love each other and they will leave us in peace.

LEÇON VI (*suite des mêmes scènes*)

I

Répondez aux questions suivantes:

1. Pourquoi les demoiselles d'honneur prennent-elles un air compassé?
2. Pourquoi Roger dit-il: "As-tu fini de te moquer de moi?"
3. Par qui Chalindrey est-il protégé?
4. Que dit Napoléonette en apprenant le nom de la protectrice?
5. Qu'annonce madame la marquise aux demoiselles d'honneur?
6. Comment Napoléonette se présente-elle à Chalindrey?
7. Pourquoi Chalindrey a-t-il peine à reconnaître le petit lancier d'autrefois?
8. Qu'est-ce que Napoléonette a appris depuis qu'elle est à la cour?
9. Est-ce que Napoléonette est devenue royaliste?
10. À quel moment le Roi paraît-il?
11. Par qui Chalindrey est-il présenté au Roi?
12. Pourquoi Napoléonette enlève-t-elle son soulier?
13. Qui est-ce qui attire l'attention du Roi sur Napoléonette?
14. Depuis quand le Roi est-il malade?

15. Quel compliment malicieux Napoléonette fait-elle au Roi?
16. Quelle est la plus jolie femme de la cour et quelle est celle qui a le plus d'esprit?
17. Quelle requête Napoléonette présente-t-elle au Roi?
18. À quelle heure le Roi donnera-t-il audience à Napoléonette?

II

Explication d'expressions idiomatiques:

Tout d'un coup.	All of a sudden, suddenly.
Rire sous cape.	To laugh in one's sleeve.
Que c'est bête (F.)!	How stupid!
Avez-vous fini de?	Will you stop?
Prendre en affection.	To take a fancy to.
À la bonne heure!	Good! good for you!
Ne pas perdre de l'œil.	To keep an eye upon.
Ne pas se contredire.	Not to give one's self away.

III

Remplacez le tiret par l'article partitif *du*, *de la*, *de l'*, *des*:

1. Napoléonette a — amis, peu — amis, beaucoup — amis. 2. Le marquis désire trouver — argent. 3. Son fils n'a pas assez — argent pour se marier. 4. Dans la cabane il y avait — paille, un peu — paille. 5. Napoléonette avait marché pendant — heures avec — soldats. 6. Boutard a beaucoup — respect et — estime pour Napoléonette.

IV

Mettez les phrases suivantes à la forme interrogative:

1. Il passe pour un brillant officier.
2. C'est madame du Cayla qui l'a fait venir.
3. Elle n'aime pas madame du Cayla.
4. Il n'y a pas de mal à cela.
5. Il ne s'attendait pas à un pareil changement.
6. L'officier pensait souvent à elle.
7. Il est temps de partir.

V

Traduisez par écrit, puis de vive voix:

1. Is it my cousin who produces that effect on you? 2. Your uncle recommended to us to have a very correct attitude toward young officers. 3. Will you stop laughing at me? 4. The new officer is better-looking than you. 5. I dislike your officer. 6. Be careful; here is someone. 7. The officers are wanted. 8. Roger and Napoléonette are shaking hands and laughing in their sleeves. 9. I certainly shall not stay here. 10. Napoléonette finds herself face to face with Chalindrey. 11. Don't you recognize little Léo? 12. She fainted in his arms. 13. I find it difficult to recognize you. 14. She did not know either how to sign or dance or play the harp, but she knows all that now. 15. I am very glad that Chalindrey has been sent to the Tuileries. 16. People do not enjoy themselves at court. 17. Come nearer so that I can see you. 18. The Minister of Police must know everyone. 19. I had not seen you for a long time, mademoiselle. 20. How do you know it so exactly? 21. The King has fallen sick. 22. Good! I like your frankness. 23. There is a handsome officer here with whom you talk very often. 24. Do not worry. 25. I shall not repeat to anyone what you said to me. 26. It is a pity; I had something to ask from Your Majesty. 27. Well! I shall give you an appointment this evening at eight o'clock.

Leçon VII (*scènes* IX, X, XI, XII)

I

Lecture, *Dictée*, *Récitation*

Boutard s'approche mystérieusement de Napoléonette et l'informe qu'il vient d'entendre une étrange conversation entre deux individus qui ont un rendez-vous avec madame du Cayla; en passant devant lui, ils ont prononcé le mot Charleroi. Napoléonette se cache derrière des rideaux et, à sa grande surprise, apprend qu'une conspiration s'est formée pour détrôner le Roi Louis XVIII. Madame du Cayla profitera de la confiance de ce dernier pour se faire confier des papiers très compromettants pour le Roi.

Après le départ des conspirateurs, Napoléonette rencontre le lieutenant de Chalindrey qui est à la recherche de madame du Cayla, et elle se demande anxieusement si le lieutenant est mêlé au complot. Pour calmer ses nerfs, elle embouche un verre de lampe et se met à crier: "Vive l'Empereur! Vive l'Empereur!"

II

Répondez aux questions suivantes:

1. Que vient-il d'arriver à Boutard?
2. Qu'a-t-il vu et entendu pendant qu'il était de planton?
3. Qu'a dit l'individu en passant devant Boutard?
4. Quelle explication Napoléonette donne-t-elle de cet événement?
5. Pour qui les conspirateurs ont-ils pris Boutard?
6. Pourquoi Napoléonette se cache-t-elle derrière un rideau?
7. Qu'est-ce que madame du Cayla promet aux deux conspirateurs?
8. Que décide Napoléonette après avoir entendu la conversation?
9. Que demande Chalindrey à Napoléonette?
10. Comment celle-ci reçoit-elle le lieutenant?
11. Que soupçonne-t-elle au sujet de Chalindrey?
12. De quelle manière cherche-t-elle à calmer ses nerfs?

III

Explication d'expressions idiomatiques:

Il vient de m'arriver quelque chose.	Something has just happened to me.
Mettre la main sur un complot.	To discover a plot.
Il est des nôtres.	He is one of our men, our party.
Cligner de l'œil.	To wink.
De bon gré.	Of one's own accord, freely, without any constraint.

IV

Faites les questions dont les phrases suivantes sont la réponse:

1. Il vient d'arriver quelque chose d'étrange à Boutard. 2. Il a vu deux individus qui causaient à voix basse. 3. Ils ont donné rendez-vous à madame du Cayla. 4. Le mot Charleroi tracasse Napoléonette. 5. Enfin elle explique à Boutard la signification de ce mot. 6. Elle se cache derrière les rideaux. 7. Madame du Cayla vient de partir par là. 8. Tu vas voir ce que je vais faire.

V

Traduisez par écrit, puis de vive voix:

1. Something has just happened to me. 2. What is it? 3. Just as

I was on duty, I saw two men who were talking in a low voice. 4. Did you hear what they said? 5. Yes, one of them said as he looked at me, "There is the new valet; he is one of our party." 6. And then he added, "See to it that we can talk alone for a moment." 7. After that, he winked and said as he passed in front of me, "Charleroi." 8. Do you understand that word? 9. No, but Napoléonette will explain it to me. 10. Those two fellows are plotting against the King; they are called Ultras, a word which means ultra-royalists. 11. Napoléonette is hiding behind the curtains, for she wants to know what these two men are going to do. 12. Nobody here! we can talk. 13. We may need you in a moment. 14. I have tried twice to find out where those famous papers are. 15. I shall see you again at nine o'clock at Madame de Rémusat's. 16. Good luck, Countess! 17. Good-bye until this evening. 18. I do not see yet what Napoléonette is going to do. 19. She has been asking for me. 20. She has just gone that way. 21. Hurry and you will catch her. 22. If he were a conspirator, that would hurt me too much. You will see what I am going to do: "Long live the Emperor!"

ACTE II

Leçon VIII (*scènes* I–III)

I

Madame du Cayla désire pénétrer dans le cabinet du Roi, mais Boutard s'y oppose en disant qu'il a reçu l'ordre de ne laisser entrer personne, et il l'oblige à rester dans le salon d'attente.

Entre temps (*in the meanwhile*) le ministre de la police arrive pour faire signer au Roi le décret d'arrestation des principaux maréchaux de Napoléon. Dès que le ministre est sorti, Boutard introduit Napoléonette. La jeune fille demande au Roi de bien vouloir l'émanciper pour qu'elle puisse disposer de sa fortune et favoriser ainsi le mariage de son cousin Roger avec mademoiselle de Chéneçay et rejoindre ensuite son parrain à Sainte-Hélène. Avant de se retirer, Napoléonette avertit le Roi qu'une conspiration s'est formée contre lui et le met en garde contre ses prétendus (*so-called*) amis.

II

Répondez aux questions suivantes:

1. Pourquoi madame du Cayla veut-elle entrer dans le cabinet du Roi?
2. Que lui objecte Boutard?
3. À quelle influence Boutard doit-il sa place de valet?
4. Quel ordre madame du Cayla donne-t-elle à Boutard?
5. Que dit ce dernier en fermant le verrou?
6. Où le Roi ira-t-il passer la soirée?
7. Quel est l'incident grave relaté au Roi par le ministre?
8. Pourquoi le ministre de la police propose-t-il encore une liste de proscription?
9. Qui est-ce qui frappe discrètement à la porte du fond?
10. Quelle est, d'après le Roi, la qualité de certains enfants mal élevés?
11. Quelle faveur Napoléonette demande-t-elle au Roi?
12. Pourquoi désire-t-elle être émancipée?
13. Pourquoi le Roi hésite-t-il à accorder la faveur demandée?
14. Quelle a été la conséquence de la mauvaise plaisanterie de Napoléonette?
15. Comment Napoléonette avoue-t-elle sa faute?
16. Où ira-t-elle, dès qu'elle sera émancipée?
17. De quoi Napoléonette avertit-elle le Roi et quel conseil lui donne-t-elle?
18. Que dit-elle en entendant un léger bruit du côté de la porte?

III

Explication d'expressions idiomatiques:

En tous points.	In all respects, implicitly.
Tu vas moisir.	You are going to vegetate.
Percé à jour.	Brought to light, unmasked, discovered.
Faire la moue.	To be pouting.
Mettre des bâtons dans les roues.	To put a spoke in his *or* her wheels.
Rire aux éclats.	To laugh heartily.
Éclater de rire.	To burst out laughing.
Je ne peux m'empêcher de rire.	I cannot help laughing.
Être sur le point de.	To be near, on the point of.

IV

Donnez aux phrases suivantes la forme interrogative et négative:

1. Elle est autorisée par le Roi. 2. On entend la fin d'une discussion. 3. Nous avons besoin d'un homme fidèle. 4. Il aide le Roi à s'asseoir. 5. Le ministre viendra ce soir. 6. Nous irons à la soirée de madame de Rémusat. 7. Les enfants mal élevés ont quelquefois une qualité. 8. Vous m'avez demandé une audience.

V

Remplacez le tiret par l'un des pronoms relatifs *qui* ou *que*:

1. L'autorisation — le Roi lui a donnée. 2. La personne — s'est approchée de la porte. 3. L'ordre — il a reçu du Roi. 4. C'est la comtesse — est là. 5. Le cri — nous avons entendu. 6. C'est Boutard — a découvert le complot. 7. Elle porte un sac ā main — elle ne quitte pas. 8. C'est Napoléonette — a crié dans le verre de lampe.

VI

Traduisez par écrit, puis de vive voix:

1. The stage is empty; one hears the end of a discussion. 2. Madame du Cayla enters the room and Boutard follows her. 3. I repeat to madame that I have been given the order not to let anyone enter. 4. Don't you know who I am? 5. Tell His Majesty that I am in the boudoir and that I am waiting for his orders. 6. How is Your Majesty today? 7. Much better; and I want to go and spend my evening at the Comédie-Française and see that famous actress Mademoiselle Mars. 8. What is the matter with you? You seem to hesitate to tell me something. 9. Yes, an extraordinary incident has taken place here. 10. Someone has shouted, "Long live the Emperor!" 11. Who has dared to do that? 12. I shall soon know. 13. Nothing is to be feared from that side. 14. At that moment, someone knocks discreetly at the door. 15. Very often, badly brought up children have one good point: they say all that they think. 16. Good evening, Napoléonette; I am glad to see your kind face. 17. Why don't you want to marry Roger? 18. He loves another girl. 19. Have you heard (*appris*) something? 20. I understood only that someone wanted to rob Your Majesty of some papers.

Leçon IX (*suite des mêmes scènes*)

I

Répondez aux questions suivantes:

1. Pourquoi le Roi pense-t-il que Napoléonette n'a pas pu crier, "Vive l'Empereur!"?
2. Que met Napoléonette devant la bouche du Roi?
3. Que fait-elle lorsque le Roi a crié?
4. Que dit le Roi en jetant le rouleau?
5. Que s'est-il produit dans le palais lorsque Napoléonette a crié, "Vive l'Empereur!"?
6. Comment le Roi pourrait-il s'attacher ce qu'il y a de mieux dans la maison?
7. Quels sont les véritables ennemis du Roi?
8. Où est le lieu de rendez-vous des mécontents?
9. Comment Napoléonette explique-t-elle le bruit qu'on a entendu?
10. Que dit le Roi à Boutard lorsque l'entretien est terminé?

II

Conjuguez les verbes suivants au temps indiqué:

1. Il faut que je parte dès que je pourrai.
2. Je dis tout ce que je pense.
3. Je ne comprends pas ce qu'il veut dire.
4. Je ne suis entré au palais que ce matin.
5. J'aimerais bien le voir et lui parler.
6. Sois exact au rendez-vous.
7. Je vais lui dire ce que j'ai fait.
8. Je viens de l'avertir il y a un instant.

III

Explication d'expressions idiomatiques:

En vouloir à.	To have a grudge against.
C'est à mourir de rire.	It is just killing.
À mon sens.	In my opinion.
Se tenir sur ses gardes.	To be on one's guard.
Se laisser embobiner (F.).	To let one's self be taken in.
Cela m'a échappé.	That was a slip of the tongue.

IV

Remplacez le tiret par un adjectif ou un pronom possessif:

1. — ami est aussi —. 2. Roger a encore — parents. 3. Napoléonette a perdu —. 4. Napoléonette dit au Roi que ce n'est pas la faute des Ultras mais —. 5. Ils font — devoir; faisons aussi —. 6. Boutard était le compagnon de — père; il est aussi —. 7. Ils ne veulent pas d'oreilles indiscrètes; je vais leur offrir —. 8. Le Roi a perdu — amis; nous avons gardé —.

V

Traduisez par écrit, puis de vive voix:

1. All his life, he will have a grudge against me. 2. Madame du Cayla comes near him and says to him; "We need a faithful man." 3. Boutard goes toward the back of the stage, and is on the verge of closing the door when he notices the King leaning on his cane and talking with Duke Decaze. 4. Where shall we go to spend the evening? 5. Let us go and hear that famous actress called Mademoiselle Mars. 6. What have you to say to me? 7. This is so unlikely that it seems ridiculous to me. 8. They shouted repeatedly, "Long live the Emperor!" and this cry was heard from several places. 9. Do you know who dared to do such a thing and in such a place? 10. I shall soon know (it) and I shall let you know. 11. My brother's friends are as dangerous to me as those of the Corsican. 12. Are you sure of it? 13. Yes, I am, and I shall give you a proof (*preuve*, f.) of what I say. 14. Who is knocking at the door? 15. It is Mademoiselle Napoléonette, to whom you have granted an audience. 16. While you give your orders, I shall receive that young lady, Mademoiselle Napoléonette. 17. She stops and drops a low courtesy. 18. I have a great favor to ask of Your Majesty. 19. What is it? 20. I cannot say it without committing an indiscretion. 21. You are saying things that nobody has ever dared to say to me. 22. Napoléonette goes out shrugging her shoulders.

Leçon X (*scènes* IV–VII)

I

Lecture, Dictée, Récitation

Madame du Cayla est enfin introduite dans le cabinet du Roi. Elle se plaint tout d'abord d'avoir eu à attendre longtemps avant de pouvoir se présenter devant le Roi; puis, changeant de ton, elle supplie Sa Majesté de bien vouloir lui remettre certains papiers compromettants qui risquent d'être volés. Le Roi, qui a été mis sur ses gardes par Napoléonette, est tristement surpris de l'insistance avec laquelle madame du Cayla demande les papiers et il refuse de les lui donner. Madame du Cayla sort en dissimulant sa fureur.

Entre temps, Napoléonette, qui était restée dans le salon d'attente, revient auprès du Roi et lui propose de mettre les papiers en lieu sûr; le Roi, qui lit l'honnêteté et la franchise dans le regard de Napoléonette, accepte de confier à celle-ci les documents compromettants.

II

Répondez aux questions suivantes:

1. Que dit le Roi en voyant que le verrou est mis?
2. De quoi se plaint madame du Cayla?
3. Combien de temps a-t-elle dû attendre?
4. Que dit madame du Cayla lorsqu'elle comprend qu'elle fait fausse route?
5. De quoi le Roi est-il jaloux?
6. Avec qui le Roi était-il en conversation?
7. Pourquoi madame du Cayla est-elle méprisée?
8. Quelle preuve donne-t-elle de son amitié pour le Roi?
9. Quel secret le Roi lui a-t-il confié?
10. Pourquoi le Roi conserve-t-il ce secret?
11. Qu'arriverait-il si le dossier était volé?
12. Quel est meilleur moyen, d'après madame du Cayla, de garder le document secret?
13. Que dit le Roi au sujet de ses amis?
14. Quelle réflexion le Roi fait-il devant l'insistance de madame du Cayla?
15. Quand reparleront-ils de cette affaire?
16. Contre qui le ministre devra-t-il prendre des précautions?
17. Pourquoi le Roi n'accepte-t-il pas la démission du ministre?
18. Dans combien de temps le Roi et le ministre partiront-ils?

III

Explication d'expressions idiomatiques:

Tenir rigueur.	To have a grudge.
Manquer son coup.	To fail in one's attempt.
Rien ne presse.	It is not urgent.

IV

Remplacez le tiret par l'un des pronoms démonstratifs *ceci*, *cela*, ou *celui*, *celle*, *ceux*, *celles*, ou *celui-ci*, etc.:

1. Donnez-moi — et gardez —. 2. Qu'est-ce que c'est que —? 3. Napoléonette approche sa chaise de — du Roi. 4. — qui n'est pas pour le Roi est contre le Roi. 5. Boutard ne connaît qu'une garde: — de l'Empereur. 6. Napoléonette n'épousera que — qu'elle aime. 7. Je préfère ce garçon-ci à —. 8. Le Roi aime tous — qui le servent bien. 9. Que pensez-vous de —? 10. Je connais les sentiments de Napoléonette et — de Boutard. 11. Ce document est — que vous m'aviez confié hier. 12. Dites-lui — de ma part. 13. Ces papiers sont — que vous cherchez. 14. De ces deux jeunes gens c'est — que je préfère.

V

Traduisez par écrit, puis de vive voix:

1. Who the deuce has put that bolt on? 2. Madame du Cayla looks offended. 3. When I was young, you would have not kept me waiting for twenty minutes. 4. I was unaware of your presence. 5. It is not I who closed it. 6. I shall not hold any grudge against you. 7. Have I not sacrificed everything for you? 8. How bad you are this evening! 9. Of whom are you jealous? 10. Of everyone, of the one you introduced me to a little while ago. 11. That man is not thirty. 12. I talked to him because I did not want to trouble you. 13. You were not expecting me, were you? 14. Are you not surprised to see me here, when I ought to be at Madame de Rémusat's? 15. A few months ago you entrusted me with a secret. 16. If such a thing happened, I should have nothing to do but to disappear. 17. We shall speak of that later on. 18. That matters very little. 19. You must take all the usual precautions. 20. They want to get rid of my person and crown my brother. 21. I have been warned that they wanted to rob me of something very precious.

LEÇON XI (*suite des mêmes scènes*)

I

Répondez aux questions suivantes:

1. Que dit le Roi en voyant Napoléonette?

2. Pour quelle raison Napoléonette est-elle restée dans le salon d'attente?
3. Pourquoi voulait-elle voir le conseiller?
4. Qu'est-ce que le ministre doit ignorer? et pourquoi?
5. Que pourrait faire Napoléonette pour le Roi?
6. Où faudrait-il cacher les papiers?
7. Pourquoi le Roi hésite-t-il à accepter la proposition de Napoléonette?
8. Quelle est l'attitude de Napoléonette envers les Ultras?
9. Que lit le Roi dans les yeux de Napoléonette?
10. Où les papiers sont-ils enfermés?
11. Où Napoléonette cachera-t-elle les papiers?
12. Par qui veut-elle être accompagnée?
13. Comment présente-t-elle Boutard au Roi?
14. Quel ordre Boutard reçoit-il du Roi?
15. Pourquoi Napoléonette ne veut-elle pas accepter de faveur?
16. Comment le Roi témoigne-t-il sa reconnaissance à Napoléonette?

II

Explication d'expressions idiomatiques:

Qu'est-ce que ça me fait?	What does it matter to me?
Se mêler de.	To meddle in.
Quelle tête il ferait!	What a face he would make!
Jouer un sale tour (F.).	To play a dirty trick.
Ça me gêne.	That inconveniences, embarrasses me.
Je le connais comme ma poche.	I know him like my own mother.

III

Donnez aux phrases suivantes la forme interrogative et négative:

1. La jeune fille s'est approchée et a levé le nez. 2. Elle est restée dans le salon d'attente. 3. Il avait l'air très ennuyé. 4. Il faudrait cacher les papiers. 5. Sa Majesté a tort. 6. Il va lui remettre les papiers. 7. Il n'y a pas de clef. 8. Vous avez tout ce qu'il faut. 9. Vous connaissez ce laquais. 10. Je peux compter sur lui. 11. Il y a quelque chose là-dessous.

IV

Remplacez le tiret par l'un des pronoms relatifs *dont*, *lequel*, *où*:

1. Les lettres — le Roi parlait. 2. Le tiroir dans — le Roi a placé ses papiers. 3. C'est ce — je suis certain. 4. Le rideau derrière — Napoléonette s'est cachée. 5. L'endroit — elle s'est cachée. 6. La cabane — on aperçoit le toit. 7. Le tertre sur — le maréchal est monté. 8. La cour — l'on s'ennuie. Le ministre — le Roi connaît l'honnêteté. 9. L'aide — Boutard a besoin. 10. Les amis sur — je comptais. 11. La dame devant — j'étais assise. 12. Le bataillon — tous les soldats ont été tués ou blessés. 13. Les papiers — les conspirateurs ont besoin.

V

Traduisez par écrit, puis de vive voix:

1. Come nearer; raise your little nose and look at me. 2. Please tell me why you have remained in the waiting-room instead of joining your aunt at Madame de Rémusat's. 3. I wanted to see the adviser of Your Majesty come out. 4. What has that to do with me, whether you receive a councillor or another person? 5. I was saying to myself, "Am I going to enter or am I not?" 6. After all, I have said enough to the King. 7. The King is not alone; he has devoted people around him, his minister, for instance. 8. I do not want to have to blush before my ministers. 9. Just the same, I could carry away the papers and burn them or hide them. 10. Yes, we must hide them in a safe spot where no one will ever suspect their presence. 11. I can very well do that. 12. The King raises his head and looks at her for a moment without saying anything. 13. Ah! I know what you are thinking of. 14. Really! Yes, it is true. 15. You were wrong. 16. You are the only one who has told me the truth. 17. I am going to hand those letters to you. 18. The King is tired by his effort and sits down behind his desk. 19. There is the box; take it and lay it down on my table. 20. They will never believe that I am carrying away something that I want to hide. 21. Are you not going to Madame de Rémusat's party? 22. I shall go there all the same. 23. I do not want you to go over there alone. 24. Well! I have what you want. 25. I know that man like my own mother. 26. Take a hat and a cloak and climb up behind Mademoiselle Napoléonette's carriage. 27. I shall never forget what you have done for me, and if some day you have to ask me for a favor, do not hesitate. 28. I am working only for honor.

ACTE III

Leçon XII (*scènes* I–IV)

I

Lecture, Dictée, Récitation

Madame de Rémusat donne une grande soirée à laquelle toute la famille de Sérignan a été invitée; c'est à cette soirée que doivent se rencontrer madame du Cayla et tous les Ultras qui complotent contre le Roi.

Roger de Sérignan profite de ce qu'il se trouve seul avec Hélène de Chéneçay, pour faire à cette dernière une déclaration d'amour; un bruit de voix dans le vestibule fait fuir les deux jeunes gens. Ces voix sont celles des conjurés qui attendent anxieusement l'arrivée de madame du Cayla, laquelle a promis de leur remettre les fameux papiers. Madame du Cayla arrive enfin et informe les conjurés que le Roi a refusé de lui remettre les papiers et que, sans doute, il a dû les confier à mademoiselle Napoléonette. Heureusement pour les conspirateurs, Napoléonette est venue directement chez madame de Rémusat et n'a pas eu le temps de se séparer des papiers. La voici en effet qui arrive portant un cahier de musique.

II

Répondez aux questions suivantes:

1. Que voit-on sur la scène au lever du rideau?
2. Que pensent le marquis et la marquise de la harpiste?
3. Qu'est-ce que madame de Rémusat voudrait faire admirer à ses invités?
4. Quand Napoléonette doit-elle arriver?
5. Pourquoi Roger refuse-t-il d'offrir le bras à sa cousine?
6. Qu'est-ce que madame de Rémusat pense des deux jeunes gens?
7. De qui Roger et Hélène se moquent-ils?
8. Quelle déclaration Roger fait-il à Hélène?
9. Qu'entend-on dans le vestibule?
10. Qui est cet homme appelé Giacomi?
11. Que font les conjurés en attendant madame du Cayla?
12. Que dit madame du Cayla au domestique?
13. Comment annonce-t-elle son entrevue avec le Roi?

14. À qui croit-elle que les papiers ont été confiés?
15. Qui a été chargé de surveiller Napoléonette?
16. Quel sera le meilleur moyen de s'emparer des papiers?

III

Explication d'expressions idiomatiques:

Comment se fait-il que...?	How is it that...?
Fort à point.	In good time, at the right time.
S'ils arrivaient à se douter.	If they happened to suspect.
Mettre en fuite.	To put to flight.
Il faut de ces gens-là.	People of that sort are necessary.
À vous de donner.	Your turn to deal.
Coûte que coûte.	At any cost.
Être de taille à.	To be big enough to.
Faire semblant.	To pretend, feign.

IV

Remplacez le tiret par l'un des pronoms relatifs *à qui*, *auquel*, *de qui*, *duquel*, etc.:

1. La personne — madame de Rémusat causait dans le salon. 2. Ce sont des choses — Napoléonette ne veut pas se mêler. 3. Le marquis à la nièce — Chalindrey fait la cour. 4. La dame — les conjurés ont donné rendez-vous. 5. La jeune fille au père — Chalindrey a sauvé la vie. 6. Le ministre — le Roi a donné ses ordres. 7. Napoléonette — le Roi a confié un secret.

V

Remplacez le tiret par *ce qui* ou *ce que*:

1. Voilà — Napoléonette a fait. 2. C'est — a empêché le vol des documents. 3. Je fais — je veux. 4. — est certain, c'est que le marquis est infatué de sa personne. 5. Napoléonette sait — pense le Roi. 6. Aller à Ste. Hélène, c'est — désire la filleule de Napoléon. 7. — est admirable, c'est la fidélité de la jeune fille. 8. Je ne sais ni — elle va dire, ni — elle va faire. 9. Faciliter le mariage de son cousin, c'est — elle désire le plus.

VI

Traduisez par écrit, puis de vive voix:

1. What do you think of my harpist? 2. We are still under the charm of her voice. 3. Your niece is not here yet! 4. I should like to see her. 5. My carriage will bring her here immediately after her interview with the King. 6. Is not Helen delightful? 7. I am sorry, madam, but I promised my cousin to open the ball with her. 8. These two young people do not seem to have a great admiration for one another. 9. I should be greatly surprised if that ended in a marriage. 10. I have so many things to tell you; come into this little corner. 11. Stay a few more minutes. 12. They must have seen us. 13. There are some lovers that we put to flight. 14. Who is that man exactly? 15. I did not know where you had gone. 16. Let us pretend to play. 17. We shall not miss the countess. 18. No need to take so much trouble; here she is. 19. We were waiting for you to enter the ballroom. 20. The King has refused to give me the papers; he must have given them to that little pest whom they call Napoléonette. 21. We must find them at any cost. 22. If the King has entrusted her with the papers, she must still have them.

Leçon XIII (*scènes* V–VII)

I

Lecture, *Dictée*, *Récitation*

À peine Napoléonette a-t-elle pénétré dans le salon de madame de Rémusat, qu'elle est invitée par la maîtresse de maison à danser un pas de l'ancien temps. Après s'être fait un peu prier, Napoléonette danse le Rigaudon de Philidor, pendant que monsieur de St. Agnan l'accompagne au piano et que les conjurés ont tous les yeux fixés sur le sac à main qui contient les documents précieux dont ils espèrent s'emparer. Après la danse, Napoléonette est vivement félicitée, puis Boutard apparaît portant sur un plateau des rafraîchissements.

II

Répondez aux questions suivantes:

1. Que dit Chalindrey en voyant madame du Cayla?
2. Pourquoi est-il venu si tard?
3. Quand aura-t-il plus de loisir?

4. Qui doit-il aller saluer?
5. Napoléonette est-elle contente de voir Chalindrey à cette soirée?
6. Que dit-elle à madame du Cayla au sujet de son audience avec le Roi?
7. De quoi Vitrolles veut-il débarrasser Napoléonette?
8. Quel prétexte a-t-il pris pour accompagner celle-ci?
9. De quoi Napoléonette a-t-elle envie?
10. Qu'est-ce que madame de Rémusat a promis à ses invités?
11. Pourquoi Napoléonette refuse-t-elle d'abord de danser?
12. À quoi la marquise a-t-elle pensé?
13. Qu'est-ce qui est de mauvais goût?
14. Par qui Napoléonette est-elle accompagnée?
15. Comment Napoléonette danse-t-elle?
16. Que lui reproche la marquise?
17. Qu'est-ce que Boutard apporte sur un plateau?
18. Qu'entend-on venir du salon voisin?

III

Explications d'expressions idiomatiques:

Ne vous donnez pas cette peine.	Do not take that trouble.
À l'improviste.	Unexpectedly.
Perdre de vue.	To lose sight of.
Cela paraît louche.	That seems suspicious.
Se faire prier.	To require urging, pressing (to have oneself coaxed).

IV

Remplacez dans les phrases suivantes les noms compléments par un pronom conjonctif:

1. Donnez les papiers à Boutard (donnez-les-lui). 2. Je présente mes hommages à madame du Cayla. 3. Le Roi ne pardonnera pas aux conjurés. 4. Je vais saluer madame de Rémusat. 5. Le lieutenant a accepté l'invitation. 6. Le Roi a remis les papiers à Napoléonette. 7. Boutard apportera des rafraîchissements. 8. Elle a caché les documents. 9. Nous penserons à la musique. 10. Fermez les portes. 11. Ne quittez pas votre cousine. 12. Je donnerais des conseils à Chalindrey.

V

Mettez les phrases suivantes à la forme négative:

1. Donnez-les-lui. 2. Apportez-lui-en. 3. Allez-y. 4. Dites-le-lui. 5. Recevez-le. 6. Présentez-la-lui. 7. Écoutez-la. 8. Voyez-les. 9. Parlez-lui-en. 10. Envoyez-nous-en. 11. Refusez-le-lui. 12. Répondez-y. 13. Répondez-leur. 14. Entrez-y.

VI

Traduisez par écrit, puis de vive voix:

1. Allow me, madam, to present my respects to you. 2. How late you are! 3. Once you are a captain, you will have more leisure. 4. I must go and bow to Madame de Rémusat. 5. Let us go together, if it does not displease you. 6. I am at your orders. 7. Napoléonette enters followed by Boutard. 8. Well! you also are here, lieutenant; that does not surprise me. 9. Have you had a long interview with the King? 10. So-so, madam, we were disturbed by an intruder. 11. Allow me to take your cloak. 12. Thanks! Boutard is going to help me. 13. I shall not part with my bag. 14. We must not lose sight of her a single moment. 15. She could not help making a gesture of annoyance. 16. You have nothing to fear. 17. Boutard brings a mirror that he finds on the piano and holds it before Napoléonette, who arranges her hair. 18. My uncle has sent for her. 19. I am ready to enter the ballroom. 20. Here she is at last! 21. They are waiting impatiently for you. 22. You always forget everything; fortunately I have thought of it. 23. We may need you in a little while. 24. M. de St. Agnan plays the piano well. 25. She does not leave her bag, even while dancing. 26. I absolutely must learn that piece of music. 27. Are you pleased with me? 28. Boutard appears carrying some refreshments on the tray.

Leçon XIV (*scènes* VIII–X)

I

Lecture, Dictée, Récitation

Napoléonette, qui devine le dessein des conjurés, accepte de boire plusieurs coupes de champagne, puis feint de s'endormir, laissant tomber son sac à terre. Sosthène, l'un des conjurés, ramasse le sac, en retire le rouleau de papiers, puis tous les conspirateurs s'empressent de sortir.

Le lieutenant Chalindrey et Boutard, qui ont été témoins de la scène précédente, sont navrés de voir Napoléonette dans un pareil état; mais celle-ci ouvre les yeux et explique que les conspirateurs ont été joués (*fooled*) et qu'ils n'ont point emporté les documents du Roi mais le Rigaudon de Philidor. Napoléonette est heureuse d'apprendre que Chalindrey n'est pas un conspirateur, mais qu'il est resté le loyal soldat qu'elle a connu à Waterloo.

Furieux d'avoir été joués, les conjurés reviennent, puis, croyant Napoléonette endormie, laissent échapper leur secret: le Roi doit être enlevé cette nuit même.

II

Répondez aux questions suivantes:

1. Que dit Chalindrey en voyant Napoléonette endormie?
2. Quel reproche fait-elle à Chalindrey?
3. Pourquoi Chalindrey ne se fâchera-t-il pas?
4. Pourquoi Napoléonette dit-elle: "Assez joué la comédie?"
5. De quoi Napoléonette est-elle dégoûtée?
6. Pourquoi Chalindrey ne comprend-il pas les paroles de Napoléonette?
7. Que ferait Chalindrey si Napoléonette n'était pas une femme?
8. Pourquoi Napoléonette est-elle si heureuse maintenant?
9. Que dit Napoléonette en prenant les mains de Chalindrey?
10. Pourquoi voudrait-elle trouver un homme de confiance?
11. Dans quel but les conjurés avaient-ils offert du champagne à Napoléonette?
12. Comment les conjurés ont-ils été joués?
13. Comment Chalindrey doit-il exécuter les ordres de Napoléonette?
14. Que dit Napoléonette au moment où elle se sépare de Chalindrey?

III

Explication d'expressions idiomatiques:

C'est du joli (F.).	This is a pretty state of affairs.
Assez joué la comédie.	Enough of this play-acting.
Ils donneraient gros.	They would give a great deal.
À leur nez.	Under their noses.

IV

Mettez les verbes des phrases suivantes à l'imparfait, puis au conditionnel:

Je dois y aller dans un instant.
Il faut vous réveiller tout de suite.
Vous ne valez pas mieux qu'eux.
Je mets toute la bande dans le même sac.
J'obéis sans discuter.
Puis-je vous remettre ces fameux papiers?

V

Remplacez le tiret par un pronom disjonctif: *moi*, *toi*, *soi*, etc.

1. Il est arrivé avant —. 2. Nous sommes plus jeunes qu' —. 3. Les conjurés étaient au salon; madame du Cayla n'était pas avec —. 4. Ce sont — qui voulaient voler les papiers. 5. Ces papiers sont au Roi; ils ne sont pas à —. 6. Qui frappe à la porte? —. 7. Il courut à —. 8. Napoléonette, — et — nous irons ce soir chez madame de Rémusat. 9. Napoléonette est plus jeune que — et moins jeune que —.

VI

Traduisez par écrit, puis de vive voix:

1. Naughty child! 2. This is going to be a real scandal! 3. Come, you must wake up. 4. She does not even recognize me. 5. A fine thing you did. 6. Napoléonette pretends at first not to understand; then, she says to Chalindrey, "You are not better than they are." 7. I put the whole gang in the same bag (category). 8. Chalindrey is very angry when he hears Napoléonette say, "You disgust me more than the others." 9. She does not like to see an officer mixed up in a conspiracy against the old King. 10. Chalindrey explains to Napoléonette that she is mistaken. 11. If she were not a girl he would give her a slap. 12. Napoléonette is very happy when she discovers (*apprendre*) that Chalindrey has remained the same loyal soldier that she knew at Waterloo. 13. They are great friends now. 14. Napoléonette has something very serious to tell; she wants to entrust the precious papers to Chalindrey. 15. The latter promises to execute her orders without question (*discuter*). 16. Chalindrey comes near Napoléonette, and he is on the point of kissing her when the

young girl puts her hand on his mouth and says, "Go! go quick!" 17. After Chalindrey is gone she exclaims, "Oh! I am so happy, so happy!"

Leçon XV (*scènes* XI–XIII)

I

Répondez aux questions suivantes:

1. Que dit le brave Boutard en apercevant Napoléonette?
2. Pourquoi est-ce sa faute si Napoléonette est dans un tel état?
3. Pourquoi Napoléonette rit-elle?
4. Qu'est-ce que Boutard ne comprend pas?
5. De quoi sont capables les conjurés?
6. Que fait Napoléonette lorsque les conjurés reviennent?
7. Par qui et comment les conjurés ont-ils été joués?
8. Que contenait le rouleau?
9. Que vont faire les conjurés maintenant?
10. Qu'est-il arrivé à l'homme qui devait s'engager comme laquais?
11. Par qui a-t-il été remplacé?
12. Par qui Napoléonette a-t-elle été aperçue?
13. Que fait Giacomi pour s'assurer que la jeune fille dort?
14. Que fait et que dit Napoléonette après le départ des conspirateurs?
15. Que répond Napoléonette à la question de Boutard?

II

Explication d'expressions idiomatiques:

Se mettre dans un joli état.	To get oneself into a fine state (mess).
Vous faites leur jeu.	You are playing their own game.
Jouer quelqu'un (F.).	To put it over on someone.
Les choses vont se gâter.	Things are going to take a bad turn.
C'est trop fort.	That is the limit.

III

Donner aux phrases suivantes deux formes emphatiques:

1. Des troupes passent là-bas . . . Il passe des troupes là-bas . . . Ce sont des troupes qui, etc. . . .
2. Un étrange incident vient d'arriver.

3. Une lettre est arrivée ce matin.
4. Une drôle de chose s'est passée.
5. Un événement extraordinaire s'est produit.
6. Un individu est venu tout à l'heure.

IV

Construisez les phrases suivantes sur le modèle ci-dessous:

1. Si Napoléonette épouse Chalindrey la marquise sera furieuse.
   Si — épousait — — — serait —.
   Si — avait épousé — — — aurait été —.
2. Si vous venez avec moi, j'irai chez madame de Rémusat.
3. Si vous me donnez les papiers, je les cacherai en lieu sûr.
4. Si vous m'aimez, vous ne me refuserez pas cela.
5. Si je vais à la cour, j'irai voir le roi.
6. S'il y a du monde au salon, je vous le ferai savoir.

V

Exercice sur les pronoms interrogatifs. Traduisez en français:

1. What does Boutard say to her? 2. Whose daughter is Napoléonette? 3. What is the matter with him? 4. Whom have you seen in the parlor? 5. Whom were you talking to? 6. What do you wish to tell him? 7. Whose brother is Louis the Eighteenth? 8. What are you thinking of? 9. What do you think of that fellow? 10. What makes you laugh? 11. What makes her look so happy? 12. What are you speaking of?

VI

Traduisez par écrit, puis de vive voix:

1. Ah! there you are! 2. Well! I congratulate you! 3. You are getting (*se mettre*) yourself into a fine fix. 4. Do not shout like that! 5. It is my fault; I should not have left you. 6. But why did you play their own game and send me away? 7. Why are you laughing now? I think you are stupid. 8. I am laughing because I am so happy. 9. Well! I no longer understand. 10. The papers are now in safety. 11. Is the baron still here? 12. He has not left the ball yet. 13. What did I say? they are coming back. 14. Napoléonette jumps on the sofa and stretches herself out so as not to be seen. 15. Things are going to be hot here; I shall not leave you. 16. Go away;

we must not be seen together. 17. Well! call if you need me. 18. That is the limit; Napoléonette has been making fun of us. 19. Well! What were you doing? 20. I have been stopped by someone who handed me a letter. 21. It appears that it is urgent. 22. Not so urgent as the decision that we must make. 23. Our game is up. 24. Maybe, but we must try another one. 25. We are going to remove the King this very night. 26. Do you know what risk we are taking? 27. So much the worse. 28. Napoléonette sleeps like a log. 29. What a brute! 30. This is no longer a comedy: it is a drama. 31. You are right! things are going to be hot.

ACTE IV

Leçon XVI (*scènes* I–III)

I

Lecture, Dictée, Récitation

Au quatrième acte nous sommes de nouveau transportés dans le palais des Tuileries. Il fait nuit; deux des conjurés pénètrent dans le couloir du palais et examinent l'endroit même où doit avoir lieu l'enlèvement du Roi; puis, ils circonviennent la camériste pour qu'elle les avertisse au moment où le monarque sortira de son appartement.

Napoléonette est très agitée, car elle ignore l'endroit où le complot doit être exécuté; elle informe Roger de Sérignan de ce qui se passe et le prie d'aller en avertir le ministre de la police.

II

Répondez aux questions suivantes:

1. Que voit-on au lever du rideau?
2. Que dit Giacomi à voix basse?
3. Quel ordre Maubreuil donne-t-il à Giacomi?
4. Que demande Maubreuil à la camériste?
5. Comment les deux conjurés ont-ils pu parvenir jusqu'au palais?
6. Qu'est-ce que Maubreuil remet à la camériste?
7. Dans combien de temps le Roi doit-il rentrer?
8. Qu'est-ce que la camériste devra remettre au Roi?
9. Que fera la camériste dès qu'elle aura remis la lettre?
10. Où les conjurés se tiendront-ils jusqu'au moment du signal?

11. Quels reproches la marquise adresse-t-elle à sa nièce?
12. À qui Napoléonette obéissait-elle?
13. Pourquoi Boutard avait-il quitté son service au palais?
14. De quoi Roger rit-il?
15. Quelles explications Napoléonette donne-t-elle à son cousin?
16. Que faut-il faire avant tout?
17. Qu'est-ce que Roger devra dire au ministre?
18. Pourquoi Boutard est-il particulièrement menacé?
19. Où Roger doit-il chercher le ministre?
20. Quand devra-t-il revenir?

III

Explication d'expressions idiomatiques:

Donner sur.	To look out on.
Se tenir (rester) à part.	To keep aside, isolated.
C'est à s'y méprendre.	You cannot tell them apart.
Il ne peut les sentir.	He cannot endure them.

IV

Remplacez le tiret par l'une des prépositions *en* ou *dans*:

1. Le roi rentrera — une demi-heure. 2. Napoléonette a fait tout cela — quelques minutes. 3. Napoléonette ira chez madame de Rémusat — un instant. 4. Ce palais a été bâti (*built*) — trois ans.

V

Donnez aux phrases suivantes une forme emphatique en employant *voilà* ou *il y a*:

1. Napoléonette l'attend depuis une heure.
2. Napoléonette n'avait pas vu Chalindrey depuis deux ans.
3. Il est malade depuis deux ans.
4. Napoléon était à Ste. Hélène depuis cinq ans, lorsqu'il mourut.

VI

Remplacez le tiret par l'une des prépositions ou conjonctions *depuis*, *puisque*, *pour*, *car*, *avant*, *devant:*

1. — Chalindrey n'est pas ici, nous agirons seuls.
2. Je ne l'ai pas revu — deux ans.

3. Napoléonette aime beaucoup Boutard — il est trés dévoué.
4. Les conjurés ont remis une lettre — le Roi.
5. Boutard est arrivé chez madame de Rémusat — Napoléonette.
6. Napoléonette était debout — le piano.

VII

Traduisez par écrit, puis de vive voix:

1. A beautiful moon is lighting a part of the stage. 2. A voice is heard which says, "Halt! Who goes there?" 3. After a little while, the two men enter through the window. 4. This is the spot where we shall act. 5. Wait until I get my bearings. 6. Go over there; a woman will come out and you will bring her to me. 7. Giacomi comes back and says, "Here she is." 8. Are you ready to play your part? 9. I shall be dismissed; it is sure. 10. You shall be paid generously. 11. How did you manage to come up here? 12. We came through the garden. 13. The King will come back within half an hour. 14. As soon as he is alone, you will go and hand him a letter from your mistress. 15. You will warn us by throwing a handful of pebbles against the window. 16. Up to the time of the signal, we shall remain hidden in the garden. 17. Do not scold her, mother, I beg you. 18. It is Madame du Cayla who informed us. 19. I was obeying the orders of the King. 20. Take them to their apartments and come back. 21. What is the matter with you, cousin? 22. Please do not joke; this is not the moment. 23. I shall explain later on; do not interrupt me. 24. Someone must stay here; it is a good place. 25. Tell him yourself all that you heard. 26. Take this, for you are threatened. 27. I shall come back only after I have seen him; wait for me here.

Leçon XVII (*scènes* IV–V)

I

Lecture, *Dictée*, *Récitation*

Napoléonette et Boutard sont laissés seuls dans l'obscurité; ils attendent anxieusement l'événement qui doit se produire et s'accusent mutuellement d'être nerveux et d'avoir peur.

Tout à coup un bruit de cailloux lancés contre une vitre se fait entendre; c'est le signal convenu. Des Ultras vêtus de manteaux noirs pénètrent dans le palais. Le brave Boutard reçoit sur la tête un coup de matraque et va rouler à terre. Napoléonette pousse un cri d'alarme, mais elle est frappée violemment par l'un des conjurés.

II

Répondez aux questions suivantes:

1. Comment se promène Boutard?
2. De quoi Boutard a-t-il l'air?
3. Pourquoi Napoléonette est-elle inquiète?
4. Où est-ce que Boutard pense que l'enlèvement aura lieu?
5. Qu'entend-on tout à coup?
6. Que prouve le retour du Roi, d'après Napoléonette?
7. Qu'entend-on encore dans le silence de la nuit?
8. Pourquoi Boutard n'est-il pas à son aise?
9. Comment Napoléonette décrit-elle la peur de Boutard?
10. Pourquoi Napoléonette et Boutard vont-ils à la porte du jardin?
11. Que fait Boutard après avoir entendu le signal?
12. Qu'est-ce que Napoléonette et Boutard aperçoivent de la fenêtre?
13. Par qui Boutard est-il frappé à la tête?
14. Comment sont vêtus les Ultras?
15. Que font les conjurés au moment où le Roi sort de son appartement?
16. Que fait alors Napoléonette, et par qui est-elle frappée?
17. Sur qui Napoléonette tire-t-elle?
18. Que lui dit Boutard en se redressant?

III

Explication d'expressions idiomatiques:

Tout réfléchi.	After reflection.
Cela n'en finit pas.	There is no end to it.
Ça m'est bien égal.	It does not matter to me at all.
À pas de loup.	Stealthily.
Il ne peut pas les souffrir.	He cannot endure them.

IV

Répétez chacune des phrases suivantes en employant les différents pronoms disjonctifs *moi*, *toi*, *lui*, etc.:

1. C'est moi qui ai tiré un coup de pistolet.
2. C'est moi qui suis responsable.
3. C'est moi qui dois aller chez madame de Rémusat.

4. C'est moi qui aurais dû remettre la lettre.
5. C'est moi qui devrais avertir le Roi.
6. C'est moi qui me suis complètement trompé.

V

Remplacez le tiret par l'un des mots *à*, *en*, *au*, *aux:*
— New York. — Amérique. — États-Unis. — Paris. — France. — Rome. — Italie. — Berlin. — Allemagne. — Montréal. — Canada. — Madrid. — Espagne. — Mexique. — Danemark. — Genève. — Suisse. — Portugal.

VI

Traduisez par écrit, puis de vive voix:
1. Stop! you are getting on my nerves. 2. We know that something is going to happen, but we do not know exactly what it is. 3. There is a chance that the danger may be elsewhere. 4. It is the King who is getting back to the palace. 5. There are times when you look like an idiot. 6. Their attempt was not prepared at the theater; this is what we know, and that is something. 7. I should not be surprised if, when they enter the palace, they should pass this way. 8. All the same, it would not be a bad thing if the minister would send us some reinforcement. 9. Hold your tongue; hush! Wait. What is happening? 10. Nothing moves; did you hear something? 11. Yes; a sound of steps in the garden. 12. My old Boutard, someone who did not know you would think that you are afraid. 13. I am not afraid, but I do not feel comfortable. 14. I understand: you have the fright of the brave. 15. Put out the light. 16. They are walking gently on the gravel. 17. Call your uncle, the servants, everybody; they are coming up. 18. There is no more time to lose. 19. They are taking away the King. 20. Help! help! Well aimed, little one! I should not have done better myself.

Leçon XVIII (*suite des mêmes scènes*)

I

Give to the following sentences the interrogative and negative form:
1. C'est ici que nous devrions être.
2. Le pauvre Boutard a parfois l'air idiot.

3. Vous pensez que Roger reviendra bientôt?
4. Il faut qu'il y en ait un qui reste ici.
5. Vous savez ce qu'il va faire.

II

Remplacez le tiret par l'un des pronoms *en* ou *y:*

1. Il a reçu une lettre ce matin; il va — répondre tout de suite. 2. Napoléonette a une grosse fortune, mais Roger n' — a pas. 3. Prenez ce pistolet; vous pouvez — avoir besoin. 4. Napoléonette, êtes-vous dans le salon? oui, j' — suis. 5. Nous avons perdu cette partie; il faut — gagner une autre. 6. On a offert du champagne à Napoléonette et elle — a bu deux coupes. 7. Napoléonette est entrée au salon et Boutard l' — a suivie. 8. Vous voyez cette chambre; dans quelques minutes une femme — sortira.

III

Remplacez le tiret par l'une des prépositions *à*, *de*, *vers*, *envers*, *avant de*, *après*, *sans*, *en:*

1. Il l'a aidée — s'habiller. 2. Elle a décidé — aller à la Comédie-Française. 3. Elle remplit son devoir — le Roi. 4. Elle se dirige — le piano. 5. Venez me voir — sortir. 6. Elle alla chez madame de Rémusat — avoir vu le roi. 7. Il faut réfléchir — parler. 8. Boutard marche — la fenêtre. 9. — avoir reçu les documents, Napoléonette a quitté le palais. 10. Elle est partie — avoir vu la marquise. 11. Elle est sortie — dire un mot. 12. Il parle, tout — regardant à la fenêtre.

IV

Récitez les cinq temps primitifs (principal parts) des verbes suivants:

Aller, envoyer, sentir, écrire, servir, craindre, lire, voir, connaître, produire, éteindre, mourir.

V

Les verbes suivants ne sont jamais suivis d'une préposition quand ils précèdent un infinitif; étudiez-les dans l'exercice qui suit:

aimer mieux	devoir	laisser	savoir
aller	envoyer	oser	sembler
compter	entendre	prétendre	valoir mieux
croire	faire	pouvoir	voir
daigner	falloir	préférer	vouloir

VI

Traduisez par écrit, puis de vive voix:

1. Napoléonette likes to go to St. Helena better than to stay at the court of Louis the Eighteenth. 2. Boutard will go and speak to the marquis. 3. Napoléonette expects to see Chalindrey. 4. The conspirators believe they have succeeded. 5. The King has not deigned to receive her. 6. She has sent for some help. 7. She heard someone speak. 8. She had Chalindrey come. 9. We must not move. 10. The conspirator has let his pistol drop. 11. She means to stay where she is. 12. Napoléonette knows how to play the piano. 13. Boutard seems to hesitate before going to the window. 14. He dare not move. 15. Boutard felt something fall on his head. 16. He saw the bandit approaching the window. 17. Boutard did not want to leave Napoléonette alone. 18. Napoléonette could not help laughing.

ACTE V

Leçon XIX (*scènes* I–V)

I

Lecture, Dictée, Récitation

Le ministre de la police se promène anxieusement dans le vestibule du palais; il semble attendre quelqu'un qui tarde à venir. Napoléonette arrive suivie de Boutard, et, voyant que le ministre ne semble pas préoccupé par l'enlèvement du Roi, elle lui reproche son inaction et le suspecte d'appartenir au parti des Ultras. Le Roi en personne fait son entrée et informe Napoléonette que grâce à l'avertissement qu'elle a donné et grâce à la perspicacité de son ministre, les conjurés qui ont pris Roger pour le Roi ont été arrêtés.

Louis XVIII témoigne sa reconnaissance en conférant le titre de duc à son ministre et en donnant son consentement au mariage de mademoiselle Napoléonette avec le lieutenant de Chalindrey et à celui de Hélène de Chéneçay avec Roger de Sérignan, et, pareil à l'Empereur Titus, le Roi peut dire avec fierté qu'il n'a pas perdu sa journée.

II

Répondez aux questions suivantes:

1. Que dit le ministre après avoir tiré sa montre?

2. Qu'est-ce qui est annoncé par le deuxième policier?
3. Que croit le ministre au sujet du coup de pistolet?
4. Que voudrait-il savoir?
5. Pourquoi Napoléonette a-t-elle tiré?
6. Qu'est-ce que le ministre n'avait pas prévu?
7. Quels reproches lui adresse Napoléonette?
8. Que fera le ministre pour Boutard?
9. Pourquoi le ministre dit-il qu'il n'y a rien à faire?
10. Où le ministre va-t-il s'asseoir et que fait-il?
11. Qu'est-ce que Napoléonette suspecte alors?
12. Que propose-t-elle à Boutard?
13. Qu'a-t-elle compris en voyant l'attitude du ministre?
14. Quels seront les deux seuls amis du roi?
15. De quoi le ministre est-il soupçonné?
16. Quel est le témoin irrécusable du ministre?

III

Explication d'expressions idiomatiques:

S'il en revient.	If he recovers.
La main dans le sac.	In the very act.
C'est trop fort.	That is the limit.
Se mettre en travers de.	To block, oppose.

IV

Remplacez le tiret par la préposition convenable:

1. Nous devons remplir nos devoirs — le Roi. 2. Boutard s'approche — la fenêtre. 3. Il était assis — moi. 4. Napoléonette se dirige — le cabinet du Roi. 5. Elle n'a pas de temps — perdre. 6. Boutard l'aide — s'habiller. 7. La représentation sera terminée — deux heures. 8. J'ai fait cela — quelques minutes. 9. Elle a eu tort — lui. 10. Je suis — vos ordres. 11. Il est temps — partir. 12. Je ne puis pas faire cela — lui. 13. Je vous rassurerai — un instant.

V

Mettez les verbes des phrases suivantes au temps convenable:

1. Le roi veut qu'on lui (obéir).
2. Je ne crois pas que les conspirateurs (réussir).

3. Veuillez attendre ici, jusqu'à ce que je (revenir).
4. J'espère que Napoléonette (arriver) à temps.
5. Boutard ne doute pas que Napoléonette (avoir) raison.
6. Comment se fait-il que vous (être) encore ici?
7. Quoique Napoléonette (être) encore jeune, elle a servi comme lancier.
8. Quoi qu'ils (dire) et quoi qu'ils (faire) ils seront arrêtés.
9. Il est possible que nous (arriver) trop tard.
10. Il est certain que Napoléonette ne s' (être) pas trompé.
11. Faites-le entrer dès qu'il (arriver).
12. Je crains que Boutard ne (être) tué.
13. Il est évident que le marquis (être) un sot.
14. Il faut absolument que Napoléonette (pouvoir) voir de Chalindrey.

VI

Traduisez par écrit, puis de vive voix:

1. That ought to be over by now. 2. Your orders have been carried out punctually. 3. At last! They are all arrested. 4. Lieutenant de Sérignan is not coming back. 5. I hope (*pourvu que*) nothing has happened to him. 6. Who has been shooting? 7. It must be one of your men. 8. That has caused a lively commotion. 9. This is what I wanted to avoid. 10. I should like to know who the fool is who has been shooting. 11. It is I. You! 12. Yes, I shot at the people who were carrying the King away. 13. We did all that we could but we could not prevent them from doing so. 14. That! I had not foreseen it. 15. Boutard has been half stunned, and if he recovers, it will be because he has a hard head. 16. I had told you that the Ultras had been preparing a dirty blow. 17. What have you done to prevent them from doing their dirty work? 18. I shall reward that brave fellow; I shall find a position in the police for him. 19. You are mistaken if you think that this will please him. 20. There is nothing to do for the moment. 21. Will you wait for a moment? I shall reassure you in a little while. 22. This is the limit; what about arresting him? 23. If the King has only two faithful friends, they are the two Bonapartists of the palace. 24. I am going to show you a witness of my devotion to the cause of the King.

Leçon XX (*suite des mêmes scènes*)

I

Répondez aux questions suivantes:

1. Pourquoi est-il temps que le Roi intervienne?
2. Pourquoi Napoléonette ne peut-elle pas en croire ses yeux?
3. Que fait-elle dans son émotion?
4. Que dit le Roi en l'embrassant affectueusement?
5. Grâce à qui le ministre a-t-il pris sa revanche?
6. Qu'est-ce que le ministre a deviné sur le champ?
7. Comment Napoléonette exprime-t-elle qu'elle s'est trompée?
8. Qui est-ce qui a été enlevé à la place du Roi?
9. Comment Roger était-il paqueté?
10. Qui est annoncé par Chalindrey?
11. La mission de Roger a-t-elle réussi?
12. Qui est-ce que le Roi envoie chercher?
13. Comment se fait-il que le Roi ait du sang au cou?
14. Par qui Napoléonette veut-elle être pansée? et pourquoi?
15. Comment le Roi manifeste-t-il sa reconnaissance à Napoléonette et à Roger de Sérignan?
16. Comment les vieux de Sérignan reçoivent-ils d'abord une telle nouvelle?
17. Que deviendra notre brave Boutard?
18. Que pourra répéter le Roi après Titus?

II

Remplacez le tiret par l'un ou plusieurs des adverbes de négation suivants: *ne ... pas*, *ne ... plus*, *ne ... jamais*, *ne ... rien*, *ne ... que*, *ne ... personne:*

1. Boutard — sera — un laquais; il sera adjudant. 2. Napoléonette — reverra — son parrain. 3. La jeune fille — a été blessée — très légèrement. 4. Boutard est très ennuyé de — — voir et de — — entendre. 5. Il — est revenu — après l'avoir vu. 6. Boutard — a vu — dans le salon. 7. Napoléonette craint de — — arriver à temps. 8. Elle a décidé de — — y aller. 9. Elle — a été blessée — une seule fois. 10. Il a promis de — — dire à ses parents. 11. Le roi — pardonnera — aux conjurés.

III

Étudiez les verbes *devoir*, *vouloir*, *pouvoir*, *valoir mieux*, dans les phrases suivantes:

1. Napoléonette *doit* aller chez madame de Rémusat.
2. M. Decaze ne *pourra* pas y aller, car il *devra* accompagner le Roi.
3. Chalindrey n'a pas *voulu* accepter la croix.
4. Boutard *aurait* bien *voulu* protéger Napoléonette, mais il n'*a* pas *pu* l'accompagner; il *a dû* rester au palais.
5. Napoléonette *a dû* être blessée par un conspirateur.
6. Boutard pense qu'il *vaudrait* mieux rester dans la galerie.
7. Napoléonette croit qu'il *aurait* mieux *valu* aller à la Comédie.
8. Nous *devrions* les voir arriver bientôt.
9. Elle aurait *dû* se cacher derrière le rideau.
10. Je ne pense pas que les conjurés *puissent* réussir.
11. *Veuillez* lui dire de venir me voir.
12. Nous *devions* partir aujourd'hui, mais la pluie nous en a empêchés.
13. Je voudrais bien savoir si Chalindrey *doit* épouser Napoléonette.

IV

Mettez les verbes entre parenthèses au temps convenable:

1. Quelque habiles que (être) les conspirateurs, ils ne réussiront pas.
2. Pensez-vous que nous (pouvoir) arriver à temps?
3. Peu importe que le marquis et la marquise ne (être) pas contents, pourvu que les jeunes gens (être) heureux.
4. Il se peut que les conjurés (venir) par le jardin.
5. Que pensez-vous que Boutard (devoir) faire?
6. Il est possible que Napoléonette (avoir) eu tort de tirer.
7. Il faut que nous nous (cacher) derrière le rideau.
8. Nous espérons que le mariage (avoir) lieu.
9. Il est évident que le Roi (être) très menacé.
10. Ne bougez pas d'ici jusqu'à ce que je (revenir).

V

Traduisez par écrit, puis de vive voix:

1. I believe, my dear minister, that it is time for me to come. 2. It

is myself, my dear, alive and in good health. 3. My friend had a revenge to take and he took it well; thanks to you who had me warned. 4. You have guessed on the spot all the details of that plot. 5. What a big mistake I made! 6. But then, who has been removed? for they removed someone. 7. He was packed like a sausage. 8. Here is Lieutenant de Sérignan. 9. I shall not forget what you have done for me. 10. The fact remains, sir, that I insist on paying my debt to you. 11. Go and get Mademoiselle de Chéneçay. 12. Is the King wounded? no, it is Napoléonette; she has some blood on her shoulder. 13. Chalindrey will dress the wound; he will do it as well as he did at Waterloo. 14. She faints, but she soon recovers upon hearing Chalindrey's voice. 15. Boutard will become an adjutant; he does not know how to thank the King. 16. Napoléonette will marry Chalindrey; Helen will marry Roger. 17. So the King has not lost his day, and all is well that ends well.

VOCABULAIRE

A

à, to, in, at, by, till, with, on.
abaisser, to lower.
abasourdir, to astound, to dumbfound.
abdiquer, to abdicate.
abord (d'), first, at first.
aboutir, to settle the business, to bring to an issue.
abri, *m.*, shelter; **à l' —,** sheltered.
absolument, absolutely.
absorbant-e, absorbing.
accent, *m.*, accent, entreaties.
accentuer, to lay the stress on, emphasize.
accepter, to accept.
accessoires, *m.*, accessories, other objects.
accompagner, to accompany, go with.
accomplir, to accomplish.
accorder, to grant, give.
accourir, *irreg.*, to run up, to flock together.
accrocher, to hang; **s' —,** to hang to, to hold on to.
acharner (s'), to turn dead against.
achever, to finish, complete.
acier, *m.*, steel.
acolyte, *m.*, accomplice.
acquitter (s'), to pay one's debt.
acte, *m.*, act, action.
actrice, *f.*, actress.
actuel-le, actual, present.
adieu, farewell.
adjudant, *m.*, non-commissioned officer.
admettre, to tolerate, admit.
admirer, to admire.
adorateur, *m.*, adorer, worshiper.
adorer, to adore, worship.
adoucir (s'), to soften.
adresse, *f.*, skill, address.
adresser, to send; **s' —,** to speak to, address, apply.
adroit-e, skilful, clever.
affaire, *f.*, business, affair.
affaler (s'), to collapse, fall back.
affecter, to pretend.
affection, *f.*, affection.
affectueusement, affectionately.
affectueux-se, affectionate.
afficher (s'), to court notoriety, to be stuck up, to parade.
affirmatif-ve, affirmative.
affirmer, to affirm.
afin que, in order that; **— de,** in order to.
agacé-e, vexed, irritated.
agacer, to get on somebody's nerves, irritate, tease.
âge, *m.*, age.
agenouiller (s'), to kneel, kneel down.
agent, *m.*, agent.
agir, to act, do.
agiter, to shake, stir; **s' —,** to be stirring, become restless.
aguets, *m. plur.*, **aux —,** on the watch.
ah! *interj.*, ah! oh!, **— çà,** well!

well! say! see here! — **bah!** well! well! you don't say!
ahuri-e, dumbfounded, flurried.
aide de camp, *m.*, aide-de-camp.
aider, to help.
aïe! *interj.*, oh! ay! ouch!
aigle, *m.*, eagle.
aigreur, *f.*, sourness.
aigri-e, made sour, embittered.
ailleurs, elsewhere; **d' —,** besides; **par** —, otherwise, besides.
aimable, kind, amiable, nice.
aimer, to like, love.
aîné-e, eldest.
ainsi, thus; — **que,** as well as.
air, *m.*, air, tune, look, appearance; **avoir l'** —, to look; **avoir l' — de,** to look as if; **avoir l' — pincé,** to look stiff.
aise, *f.*, ease; **à mon —,** at ease, comfortable.
ait, *subj. pres. of* **avoir.**
ajouter, to add.
aller, *m.*, going.
aller, *irreg.*, to go; — **chercher,** to go and fetch; **s'en —,** to go away, to be dying.
allez! *interj.*, I assure you, you see.
allez, *imper. of* **avoir.**
alliez, *subj. of* **avoir.**
allons! *interj.*, come! come now! — **donc!** nonsense!
allumer, to light.
allure, *f.*, deportment, attitude, gait; — **s,** ways of behaving.
allusion, *f.*, allusion.
alors, then; — **que,** while, when.
ambre, *m.*, amber; **fin comme de l' —,** a shrewd, subtle fellow.
amabilité, *f.*, amiability, favor.
âme, *f.*, soul; **de toute son —,** with all his (or her) heart.
amener, to bring; **s' —,** to come.
amèrement, bitterly.
ami, *m.*, friend.
amical-e, friendly.
amitié, *f.*, friendship.
amour, *m.*, love.
amoureux, *m.*, lover.
amuser (s'), to enjoy oneself, to amuse one's self.
an, *m.*, year.
ancien-ne, old, ancient; former, ex-.
angoisse, *f.*, anguish.
animation, *f.*, animation.
animé-e, animated.
annoncer, to announce; **s' —,** to announce oneself.
antichambre, *f.*, antichamber.
août, *m.*, August.
aplomb, *m.*, nerve.
apercevoir, to see, perceive; **s' —,** to notice.
aperçoit, *see* **apercevoir.**
aperçoive, *subj. of* **apercevoir.**
apparaître, *irreg.*, to appear.
appartement, *m.*, apartment, flat, set of rooms.
appât, *m.*, charm.
appeler, to call.
applaudissement, *m.*, applause.
apprendre, to teach, learn, inform.
apprêter (s'), to get ready.
approcher, to bring forward, put or draw near; **s' — de,** to go, come, draw near or nearer.
appuyer, to stress, lean.
après, after; **d' —,** according to.

arbre, *m.*, tree.
ardeur, *f.*, eagerness, zeal.
argent, *m.*, money.
armée, *f.*, army.
armer, to arm.
arranger, to arrange, fix, do; **s' —,** to manage, to contrive; **s' — les cheveux,** to do one's hair; **s' —,** to tidy oneself.
arrêter, to arrest; **s' —,** to stop.
arrivée, *f.*, arrival, coming.
arriver, to arrive, come, to happen; **— à,** to reach, succeed.
artillerie, *f.*, artillery.
aspect, *m.*, appearance, look.
assaillir, *irreg.*, to assail.
asséner, to deal (a blow).
asseoir (s'), to sit down.
assez, enough.
assied (s'), *see* **asseoir.**
assistant, *m.*, bystander.
assombrir (s'), to darken.
assommé-e, knocked on the head, stunned.
assurer, to assure; **s' —,** to make sure.
attachement, *m.*, attachment, affection.
attacher, to tie, attach; **s' —,** to attach to oneself.
attaque, *f.*, apoplectic attack.
attendant, *conj.;* **en — que,** till, until, while.
attendre, to wait, wait for, expect; **s' — à,** to expect.
attendri-e, moved, touched.
attentat, *m.*, attack, assault.
attente, *f.*, waiting; **salon d' —,** anteroom.
attention! look out! be careful!
attentivement, attentively.
attirer, to attract, draw to, to call.
attitude, *f.*, attitude.
au, at the, to the.
aucun-e, any, no.
aucunement, not at all.
audace, *f.*, audacity.
audacieux-se, audacious.
audience, *f.*, audience, hearing.
augmenter, to increase, grow.
auguste, auguste, vénérable.
augure, *m.*, omen, augury.
aujourd'hui, today.
auprès de, near, by, besides.
auquel, at which, to which.
aura, *fut. of* **avoir.**
aurais, *condit. of* **avoir.**
au revoir, good-bye.
auriez, *condit. of* **avoir.**
aussi, *adv.*, also, too; **— que,** as — as; *conj.*, therefore, so, that is why.
aussitôt, as soon, soon, immediately; **— que,** as soon as; **— après,** immediately after.
autant, as much, as many; **d' — plus,** the more so.
autoriser, to authorize.
autour de, near, around.
autre, *adj.*, other; *pron.*, other; **quelqu'un d' —,** some other person; **— chose,** something else, different.
autrefois, formerly, in the olden time.
avaler, to swallow.
avance (d'), in advance, beforehand.
avancé-e, advanced, forward.
avancement, *m.*, advancement, promotion.

avancer, to come forward, bring forward; **s' —,** to go or come forward.
avant, before (time); **en —!,** forward!
avant-scène, *f.*, front-scene.
avec, with.
avertir, to warn.
avis, *m.*, opinion, advice; **à votre —,** in your opinion.
aviser (s'), to take it into one's head.
avoir, to have; **— l'air,** to look; **— l'air de** + *verb*, to look as if; **— besoin,** to need; **— connaissance,** to be aware, acquainted with; **— dans le nez,** to have a grudge; **— envie de,** to have a mind to; **— lieu,** to take place; **— peur,** to be afraid; **— raison,** to be right; **— soif,** to be thirsty; **— tort,** to be wrong; **il y a,** there is or there are; **qu'y a-t-il?** what is the matter?
avouer, to confess, admit.
Avril, *m.*, April.
ayant, *pres. part.*, **ayez,** *pres. subj. of* **avoir.**

B

babiller, to babble.
bafouiller, to mutter.
bah, ah —! you don't say so.
baiser, *m.*, kiss.
baiser, to kiss.
baisser, *m.*, fall, lowering.
baisser, to lower, to fall.
bal, *m.*, ball; **robe de —,** ball dress.
balancier, *m.*, pendulum.
balbutier, to stammer.
balthazar, *m.*, banquet, feast.
balustrade, *f.*, balustrade.
bande, *f.*, strip; **en —,** in strips; gang.
bandit, *m.*, bandit.
bannir, to banish.
banquette, *f.*, bench.
barrer, to block.
bas, *m.*, stocking.
bas-se, low; **à voix basse,** in a low voice.
bataille, *f.*, battle.
bâton, *m.*, stick.
battant, *m.*, *see* **porte.**
battre, *irreg.*, to beat; **— en retraite,** to beat a retreat; **— la charge,** to beat the charge; **se —,** fight.
bavard, *m.*, chatterbox.
beau, bel, belle, beautiful, fine, fair.
beaucoup, much, many, a great deal.
bée, *see* **bouche.**
Belgique, *f.*, Belgium.
belle, *fem. of* **beau; de plus —,** more than ever.
belle-sœur, *f.*, sister-in-law.
bernique!, nothing doing!
besogne, *f.*, work.
besoin, *m.*, need; **avoir —,** to need.
bête, *f.*, creature; *adj.*, **bête,** stupid, crazy, foolish; **grande —,** stupid fellow.
bêtise, *f.*, nonsense, stupidity, absurdity.
beurre, *m.*, butter.
bien, well, very, very much, surely, right; *adj.*, good-looking.

bientôt, soon; **à —,** good-bye, hope to see you soon.
bienveillant-e, kind; **peu —,** unkind.
bizarre, strange.
blâme, *m.*, blame.
blâmer, to blame.
blanc, blanche, white.
blessé, *m.*, wounded.
blesser, to wound.
blessure, *f.*, wound.
blond-e, fair, blond.
blottir (se), to crouch, crouch down.
boire, *irreg.*, to drink.
bois, *m.*, wood, forest.
boiserie, *f.*, wainscot, woodwork.
boîter, to limp, jump.
bon-ne, good, good-natured; **allons —!,** good gracious!
bonapartiste, Bonapartist.
bondir, to bound, leap.
bonheur, *m.*, happiness.
bonhomie, *f.*, good-nature.
bonjour, good morning.
bonsoir, good evening.
bonté, *f.*, kindness.
borne, *f.*, limit.
bouche, *f.*, mouth; **— bée,** gaping.
bouché-e, stupid, silly.
boucher, to block, close.
boudoir, *m.*, boudoir.
bougie, *f.*, candle.
bouger, to move, stir.
bouleversé, upset.
bouleverser, to upset.
bourse, *f.*, purse.
bousculé-e, jostled, knocked.
bousculer, to jostle.
bout, *m.*, end, extremity; bit, scrap; **au — d'un instant,** after a moment.
botte, *f.*, boot.
brancard, *m.*, stretcher.
branche, *f.*, branch.
branle-bas, *m.*, clearing for action, uproar.
bras, *m.*, arm.
brave, *m.*, brave, brave fellow; *adj.*, brave, good.
bravo! bravo! well done!
bredouiller, to splutter.
broncher, to give sign of emotion.
bruit, *m.*, noise; **le — court,** the rumor is spreading.
brûler, to burn.
brusquement, suddenly, abruptly, gruffly.
brutalement, in a brutal tone.
brute, *f.*, brute.
bureau, *m.*, desk.
but, *m.*, purpose, goal.
buvard, *m.*, blotting-case.

C

ça, cela, that, it, he; **qui ça?** whom do you mean? **où —?** where do you mean? **— y est,** *see various meanings in notes.*
çà, now; **ah —!** look here! well! well!
cabane, *f.*, hut.
cabinet, *m.*, study.
cabinet de travail, *m.*, study.
cachette, *f.*, hiding-place.
cacher, to hide; **se —,** to hide oneself.
café, *m.*, coffee; coffee-house; **un — noir,** a cup of black coffee.
cage, *f.*, cage.
caillou, *m.*, pebble.

calmer, to calm; **se —,** to calm oneself.
camériste, *f.*, lady's maid.
campagne, *f.*, campaign.
camper (**se**), to place oneself.
canaille, *f.*, scamp, rascal.
canapé, *m.*, sofa.
canne, *f.*, cane, stick.
canon, *m.*, cannon, gun.
cantinière, *f.*, canteen-keeper.
cantonner, to be billeted, to canton.
capable, able, capable.
cape, *f.*, cape.
capitaine, *m.*, captain.
car, for, because.
carrière, *f.*, career, profession.
carrosse, *m.*, coach.
carte, *f.*, map.
carton, *m.*, cardboard.
cas, *m.*, case.
caserne, *f.*, barracks.
cassette, *f.*, purse.
catastrophe, *f.*, catastrophe.
cause, *f.*, cause.
causer, to talk, chat.
cavalier, *m.*, horseman.
cave, *f.*, cellar.
ce, cet, cette, ces, *dem. adj.*, this, that, these, those.
ce, *dem. pron.*, that, it, they, these, those.
cela, that.
celui, celle, ceux, celles, *dem. pron.*, he, him; she, her; they, them; that, those; — **-ci,** this one, the latter; — **-là,** that one, the former.
cercle, *m.*, circle.
certain-e, certain.
certainement, certainly.
certes, certainly.
ces, *plur. of* **ce,** *adj.*
cesse, sans —, unceasingly.
cesser, to stop, cease.
cet, *m. sing.*, *see* **ce,** *adj.*
cette, *f. sing.*, *see* **ce,** *adj.*
ceux, *m. plur.*, *see* **celui.**
chacun-e, each, each one, every one.
chagrin, *m.*, sorrow, grief.
chaise, *f.*, chair.
chambre, *f.*, room.
champ, *m.*, field; — **de bataille,** battlefield; **sur le —,** at once, on the spot.
champagne, *m.*, champagne.
chance, *f.*, luck.
changer (**se**), to be changed, to change.
chanter, to sing.
chapeau, *m.*, hat.
charge, *f.*, charge, duty, mission.
charger, to charge, instruct, entrust with the care of; **se — de,** to assume the responsibility, take it on, take charge of; **je m'en —,** I take it on me.
charme, *m.*, charm.
charmant-e, charming, lovely.
chasser, to chase away, drive away.
chasseurs, *m. plur.*, light cavalry regiment.
chat, *m.*, cat; — **botté,** puss in boots.
château, *m.*, castle.
chaussure, *f.*, shoes, boots.
chef, *m.*, chief, leader.
chemin, *m.*, way, road; **on en a fait du —!** what a lot of marching we did!

chêne, *m.*, oak.
cher-ère, dear.
chercher, to fetch, look for, try to find.
chérie, darling.
cheval, *m.*, horse; **à —,** on horseback.
chevalier, *m.*, knight.
chevaucher, to ride on horseback, ride along.
cheveu, *m.*, hair.
chez, at, to, at the house of; **— moi,** at home; **— nous,** at our house or in our country.
chic, fine, smart.
chien, *m.*, dog.
chipie, *f.*, proud and disagreeable woman; prude; **—!** you cat!
choix, *m.*, choice.
chose, *f.*, thing; **autre —,** something else.
chut! hush!
chute, *f.*, fall.
ciel, *m.*, sky.
cimetière, *m.*, cemetery, churchyard.
cinq, five.
citer, to quote.
clair-e, clear.
clairière, *f.*, glade.
clairon, *m.*, bugle.
clef, *f.*, key.
clin d'œil, wink.
cligner de l'œil, to wink.
clopin-clopant, limpingly, haltingly.
clouer, to nail; **— sur place,** to root to the spot, transfix.
cœur, *m.*, heart; **de bon —,** heartily; **de tout mon —,** with all my heart.
coffré-e, locked up.
coffret, *m.*, small box, casket.
coin, *m.*, corner.
collation, *f.*, collation.
collé-e, stuck.
collet, *m.*, collar.
colonel, *m.*, colonel.
combiner, to combine, arrange, fix.
comblé, laden with honors.
combler, to overcome (with kindness).
comédie, *f.*, comedy; **assez joué la —!** enough stage play! play-acting!
comité, *m.*, small group of persons.
commander, to command, order.
comme, like, as; how! **— ci — ça,** so so; **— si,** just as if.
commencer, to begin.
comment, how! what!
commettre, to commit, to perpetrate.
commis, *see* **commettre.**
commission, *f.*, errand, message.
compagnon, *m.*, companion; **— d'armes,** companion in arms.
compassé-e, formal, stiff.
complet-ète, complete.
compliquer, to complicate.
complot, *m.*, plot.
comprendre, *irreg.*, understand.
comprends, *pres. of* **comprendre.**
compris, *past part. of* **comprendre.**
compromettre, to compromise.
compte, *m.*, account; **ils te régleraient ton —,** they would settle your account (do away with you).
compter, to count, expect; **— sur,** to rely upon, depend on.

comte, *m.*, count.
comtesse, *f.*, countess.
concerner, to concern, to be about.
concert, *m.*, concert.
conclure, to infer.
condamner, to condemn.
condition, *f.*, condition; **à la —,** on condition.
conduire, to take, conduct, lead to.
conduite, *f.*, conduct, behavior.
confiance, *f.*, confidence, trust.
confier, to entrust, confide.
confus-e, confused, ashamed.
congédier, to dismiss.
conjuré, *m.*, conspirator.
conjurer, to implore, entreat, beseech.
connaissance, *f.*, knowledge; **perdre —,** to become insensible, faint; **avoir — de,** to be aware of, to be acquainted with.
connaître, *irreg.*, to be acquainted, know.
conquérir, *irreg.*, to conquer.
conquête, *f.*, conquest.
conquis, *see* **conquérir.**
conseiller, *m.*, counsellor, adviser.
consentir, *irreg.*, to consent.
conséquence, *f.*, consequence; **en —,** consequently, as a consequence.
conserver, to keep, guard.
considérer, to look on, consider.
conspirateur, *m.*, conspirator.
conspiration, *f.* conspiracy.
conspirer, to conspire.
console, *f.*, console.
constater, to discover, ascertain.
consternation, *f.*, consternation.
consul, *m.*, consul.
consulter, to consult, ask for advice.
contenir, to contain, hold, include; **se —,** to repress one's feelings.
content-e, glad, pleased, satisfied.
contenter (se), to be satisfied, be contented with.
conter, to tell a story; **— fleurette,** to make love speeches, to flirt with.
continuer, to continue, go on.
contraire, contrary; **au —,** on the contrary.
contrariété, *f.*, contrariety, annoyance.
contre, against.
contredanse, *f.*, quadrille.
contredire (se), to contradict oneself; give oneself away.
convenable, proper, suitable, fit.
convenances, *f. plur.*, decency, good breeding.
convenir, *irreg.*, to agree, settle.
convenu-e, agreed, agreed upon, appointed (time).
conversation, *f.*, conversation.
coquette, coquettish.
coquin-e, rogue, rascal.
corps, *m.*, body; **garde de —,** bodyguard.
correct-e, correct.
Corse, *m.*, Corsican (Napoléon).
cortège, *m.*, escort, procession.
côté, *m.*, side; **de tous — s,** on all sides; **à —,** near-by, next door; **à — de,** near, beside; **du — de,** in the direction of.
cou, *m.*, neck.
coucher (se), to go to bed.

couler, to flow.
coulisse, *f.*, wing (of the stage); **faire des yeux en —,** to look sideways, to ogle someone.
couloir, *m.*, corridor, hall.
coup, *m.*, blow, knock, attempt, plot, design; — **de coude,** push; — **de couteau,** stab; — **de feu,** shot; — **de maître,** masterly stroke; **manquer son —,** to fail in one's attempt; — **de pied,** kick; — **de poing,** punch; — **d'œil,** glance; **tout à —,** suddenly; **tout d'un —,** all at once; **en — de vent,** like a whirlwind.
coupable, guilty.
cour, *f.*, court; yard; **faire la — à une femme,** to court, make love to a woman.
courant d'air, *m.*, draft.
courir, *irreg.*, to run; **le bruit court,** the rumor is spreading.
couronne, *f.*, crown.
courroucé-e, angry.
court, *pres. of* **courir.**
court-e, short.
courtisan-ne, courtier.
cousine, *f.*, cousin.
coussin, *m.*, cushion.
coûte que coûte, at any cost.
couteau, *m.*, knife.
coûter, to cost.
coutume, *f.*, custom, habit.
couvent, *m.*, convent.
couverture, *f.*, blanket.
couvrir (se), to put one's hat on.
craindre, *irreg.*, to fear.
crânement, with great courage.
crânerie, *f.*, great courage.
crainte, *f.*, fear.
craquer, to crack, creak.
cri, *m.*, cry, scream.
crier, to cry, cry out, call.
croire, *irreg.*, to believe, think; **se —,** to believe oneself, think oneself.
crois, *pres. of* **croire.**
croisement, *m.*, crossing.
croix, *f.*, cross, the Cross of the Legion of Honor.
cru, *see* **croire.**
cueillir, to pick up, remove.
cuir, *m.*, leather, hide, skin.
culotte, *f.*, breeches.
curieux-se, curious, inquisitive; **curieuse!** you inquisitive girl!

D

dadais, *m.*, booby, ninny, simpleton.
dame, *f.*, lady.
dame! well!
danger, *m.*, danger.
dangereux-se, dangerous.
dans, in, into, within.
danser, to dance.
date, *f.*, date.
davantage, more, longer; **pas —,** no more, any more, any longer.
de, of, from, by, to; some, any.
débarrasser, to deliver, rid, take; **se — de,** to get rid of.
débarquer, to land.
débattre (se), to resist.
déboucher, to come out.
debout, standing up.
décamper, to decamp, run off.
décapité, beheaded.
décent-e, decent.
déchirer, to tear.
décider, to decide; **se —,** to de-

cide oneself, make up one's mind.
décisif-ve, decisive.
déclamation, *f.*, declamation.
déclamer, to declaim.
déclarer, to declare; **se —,** declare oneself.
décocher, to let fly, discharge.
décor, *m.*, setting, scenery.
découvrir, to discover; **se —,** to take one's hat off.
dédaigneux-se, contemptuous.
dedans, inside; **là —,** in it, therein, inside.
déesse, *f.*, goddess.
défaillir, to faint, swoon, grow weak.
défaire, to undo.
défaut, *m.*, defect, fault.
défendre, to defend, to forbid.
défense, *f.*, defense.
dégoûter, to disgust, repel.
dehors, out, outside; **en — de,** outside of, except for.
déjà, already.
délateur, *m.*, informer, accuser.
délicat-e, difficult.
délicieux-se, charming, delightful.
délire, *m.*, delirium.
demain, tomorrow; **à —,** hope to see you tomorrow.
demander, to ask, ask for, send for; **je vous demande pardon,** I beg your pardon; **on demande les officiers,** the officers are wanted.
demi-heure, *f.*, half an hour.
démission, *f.*, resignation.
demoiselle d'honneur, lady-in-waiting.
démon, *m.*, demon.
dent, *f.*, tooth.
départ, *m.*, departure.
dépasser, to go beyond.
dépêcher, to dispatch, send; **se —,** to hurry, hurry up.
dépister, to put off the track.
déplaire, to displease, offend.
déplier, to unfold.
déplorable, deplorable, bad.
déployer, to display.
dépouiller (se), to deprive one's self, give away one's fortune.
dépôt, *m.*, depot, deposit.
depuis, *prep.*, since, for; **— quand?** since when? how long?; **— que,** *conj.*, since.
déranger, to disturb; **se —,** to trouble.
dernier-ère, last; **le —,** the latter.
dérober, to rob, steal.
dérouler, to unroll.
déroute, *f.*, rout.
derrière, behind.
des, of the, from the; some, any.
dès, from, from the very; **— que,** as soon as.
désagréable, unpleasant.
désappointement, *m.*, disappointment.
désapprobation, *f.*, disapproval.
désarmé, disarmed.
descendre, to go down, come down.
désespoir, *m.*, despair.
déshabiller (se), to undress.
déshonorer, to dishonor.
désigner, to point out, designate, appoint.
désir, *m.*, wish, desire.
désirer, to wish, desire.

désolé-e, desolate, grieved, very sorry.
dessein, *m.*, project, design.
dessous, under, below; **en —,** slyly.
dessus, on it; **par — le marché,** into the bargain.
destinée, *f.*, destiny, fate.
détail, *m.*, detail.
détendre, to soothe, to quiet.
détester, to detest, dislike.
détourner, to divert, turn aside.
détrôné-e, unthroned.
deux, two; **nous —,** the two of us; **tous les —,** both.
deuxième, second.
devant, before (place).
déveine, *f.*, bad luck.
devenir, to become.
deviner, to guess.
devoir, *m.*, duty.
devoir, to owe; must, ought, have to; **je dois,** I have to *or* I must; **j'ai dû,** I have had to *or* I must have; **je devrais,** I ought to; **j'aurais dû,** I should *or* ought to have.
dévoué-e, devoted.
dévouement, *m.*, devotion, self-sacrifice; **— s,** devoted men.
dévouer (se), to devote oneself.
devrais, *condit. of* **devoir.**
diable, the deuce! what on earth; **ah —!** the deuce! Great Scott; **au —!** away with, anywhere, to the end of the world, in every nook and corner.
diablotin, *m.*, naughty little girl.
diantre! deuce! the dickens!
Dieu, *m.*, God; dear me! **mon —!** dear me! well, heavens!; **ah mon —!** oh, heavens!, good gracious!, **— merci!** thank heaven!
différent-e, different.
difficile, difficult.
digne, dignified, full of dignity; **air —,** air of dignity.
dignité, *f.*, dignity.
dinde, *f.*, turkey-hen.
dindon, *m.*, turkey-cock.
diplomatie, *f.*, diplomacy.
dire, to say, tell; **se —,** to call oneself.
diriger (se), to direct oneself, take the direction of.
dis, *pres. of* **dire.**
discipline, *f.*, discipline.
discussion, *f.*, discussion.
discuter, to discuss.
disparaître, *irreg.*, to disappear.
disperser (se), to scatter.
disposer, to dispose; **se — à,** to be about to.
dissimuler, to hide, dissimulate; **se —,** to hide.
distraire, *irreg.*, to entertain.
distrait-e, absent-minded.
dit, *pres. and past part. of* **dire.**
divers-e, various.
division, *f.*, division (of soldiers).
dizaine, about ten.
doigt, *m.*, finger.
doit, *pres. of* **devoir.**
dommage, *m.*, damage; **c'est —,** it is a pity.
donc, so, therefore, then, I say!; **allons —,** come now! nonsense; **quoi —!** what about!; **dites —!** well! I say!
donner, to give; **— les cartes,** to deal the cards; **— sur,** to look out on.

dont, of which, of whom, whose.
dormir, *irreg.*, to sleep.
dort, *pres. of* **dormir.**
dos, *m.*, back.
dossier, *m.*, bundle of papers, documents.
double, *m.*, double.
doubler, to double.
doucement, gently, nicely, softly.
douleur, *f.*, pain.
douloureux-se, painful.
dot, *f.*, dowry.
doute, *m.*, doubt; **sans —,** without doubt.
douter, to doubt, distrust, suspect; **se —,** to suspect.
douze, twelve.
drame, *m.*, drama.
dresser, to raise, train.
droit, *m.*, right.
droite, *f.*, right hand; **à —,** on or to the right.
drôle, *m.*, knave, rogue; *adj.*, funny, comical, strange.
du, of the, from the; some, any, with.
dû, *past part. of* **devoir.**
duc, *m.*, Duke.
duchesse, *f.*, Duchess.
dur, hard.
durement, harshly, severely.
durer, to last.

E

éblouissement, *m.*, dazzle, dazzling, giddiness, dizziness.
écart, *m.*, step aside; **à l' —,** aside, apart, isolated.
écarté-e, isolated.
écarter (s'), to open the way, to make way.
écervelé-e, brainless, madcap.
échange, *m.*, exchange.
échanger, to exchange.
échapper, to escape, slip out.
écharpe, *f.*, scarf.
échouer, to be landed, be stranded; fail.
éclaircie, *f.*, clearing (in a forest), glade.
éclairer, to light, give some light; **s' —,** to be lighted.
éclat, *m.*, **avec —,** in an outburst.
éclater, to burst; **— de rire,** to burst out laughing.
écœurer, to sicken, disgust.
écouter, to listen, listen to; **— aux portes,** to be an eavesdropper.
écrier (s'), to exclaim.
écrire, *irreg.*, to write.
écrit, *pres. and past part. of* **écrire.**
écriture, *f.*, handwriting.
effaré, frightened.
effaroucher, to frighten.
effet, *m.*, effect; **en —,** indeed, in effect.
effleurer, to touch lightly upon.
effort, *m.*, effort, endeavor.
effrayer, to frighten.
effroi, *m.*, fright, dread.
effronté-e, saucy, saucy minx.
égal-e, equal, same; **cela lui est bien —,** that is quite indifferent to him or to her.
égard, *m.*, regard, respect; **à mon —,** toward me, to me.
eh! hey!; **eh bien!,** well! well! now then!
Elbe, Elba.
élastique, *f.*, elastic.
élégance, *f.*, elegance.

élevé-e, bien —, well brought up; **mal —,** badly brought up.
élever, to bring up; raise.
elle, she, her, it; *plur.*, **elles,** they.
éloge, *m.*, eulogy, praise.
éloignement, *m.*, aversion, coolness.
éloigner, to take away; **s' —,** to go away, move away.
émanciper, emancipate.
embarquer (s'), to embark.
embarrassé-e, embarrassed.
embêtant, annoying.
embêté-e, annoyed, worried.
embêter, to bother; **s' —,** to be bored.
emblée (d'), at the first onset, without difficulty.
embobiner, to entice by flattery; **se laisser —,** to be taken in.
emboucher, to put to the mouth.
embrasser, to kiss, to choose; — **la carrière des armes,** to embrace the military profession.
émerveillé, amazed.
émigration, *f.*, emigration. *See historical notes.*
émissaire, *m.*, emissary.
emmener, to take away.
émotion, emotion, feeling.
emparer (s'), to lay hold of, capture, seize.
empêcher, to prevent; **il n'empêche que,** the fact remains; **on ne peut j' — de rire,** one cannot help laughing.
empereur, *m.*, emperor.
empire, *m.*, **sous l' — de,** actuated by.
employer, to use, employ.
emporter, to carry away, take away.
empressé, eager.
empresser (s'), to hasten, to be eager to.
ému-e, moved, affected.
en, *prep.*, in, into, on, by, while, for; **tout —,** while, as.
en, *pron.*, of him, from him, of her, from her, of it, from it, some, any.
enchanter, to delight, enthuse.
encombre, *m.*, accident, impediment, obstacle.
encore, yet, still, again, more, even; **pas —,** not yet.
encrier, *m.*, inkstand.
endiablé-e, reckless, wild, frenzied.
endormi-e, asleep.
endroit, *m.*, spot, place.
energiquement, with energy.
enfance, *f.*, childhood.
enfant, *m. or f.*, child; — **de troupe,** boy-soldier.
enfermer, to lock up.
enfin, at last, in short.
enfoncer (s'), to disappear.
enfuir (s'), to run away.
engager, to engage; **s' —,** to enlist, to engage oneself, be engaged.
enlever, to raise, remove, take away.
ennemi, *m.*, enemy.
ennui, *m.*, ennui, boredom.
ennuyé-e, annoyed.
ennuyer, to annoy.
ennuyeux-se, boring, annoying.
énormité, *f.*, enormity.
ensemble, together.
ensuite, afterwards, then.
entamer, to start.
entendre, to hear, mean, under-

stand, wish; **s' —,** to agree with, be on good terms with.
enterrer, to forget, bury.
entier-ère, whole, entire.
entièrement, entirely.
entortiller (s'), to twist, to get entangled.
entourer, surround; **— de ses bras,** to wrap in his arms.
entrain, *m.*, animation, life.
entraîner, to carry away.
entre, between; in.
entrecoupé-e, broken (voice).
entrée, *f.*, entrance, right to enter, appearance.
entreprendre, to undertake.
entreprise, *f.*, enterprise, undertaking.
entrer, to enter, go in.
entretien, *m.*, talk, conversation.
entr'ouvrir, to half-open; **s' —,** to half-open.
envahir, to invade.
enveloppe, *f.*, envelope.
envelopper, to envelop, wrap up.
envers, towards, to.
envie, envy, desire; **avoir — de,** to have a mind to.
envieux, *m. plur.*, envious people.
environ, about.
envoyer, to send; **— chercher,** to send for.
épatant-e, wonderful, astounding.
épaté-e, amazed, greatly surprised.
épaule, *f.*, shoulder.
épeler, to spell.
épier, to spy, follow.
épouser, to marry; **s' —,** to marry each other.
épouvantable, awful.
épouvanter, to frighten.
épris-e, enamored.
escalier, *m.*, staircase.
escogriffe, *m.*, ungainly, gawky fellow.
escorte, *f.*, escort.
espacé-e, at intervals.
espérer, to hope.
espiègle, playful, mischievous.
espion, *m.*, spy.
espoir, *m.*, hope.
esprit, *m.*, wit, mind, spirit; **une femme d' —,** a woman who has a nice wit.
esquisse, *f.*, sketch.
esquisser, to hint.
essayer, to try, attempt.
essoufflé-e, out of breath.
et, and.
était, *imperf. of* **être.**
étancher, to staunch, stop.
état, *m.*, State, state, condition.
état-major, *m.*, staff.
été, *past part. of* **être.**
éteindre, *irreg.*, to put out, extinguish.
éteins, *pres. of* **éteindre.**
étendre, to stretch; **s' —,** to stretch oneself.
étendu-e, lying down.
étiquette, *f.*, etiquette.
étoffe, *f.*, stuff, tissue, material.
étonné-e, astonished.
étonnement, *m.*, astonishment.
étonner, to astonish, surprise; **s' —,** to be astonished, wonder.
étouffé-e, repressed.
étouffer, to repress, choke, suffocate.
étourdi-e, thoughtless.

étourdir, to stun.
étourdissement, *m.*, giddiness, dizziness.
étranger, *m.*, foreigner, stranger.
étrangler (s'), to strangle oneself, to choke.
être, to be, belong; — **au regret,** to regret, be sorry; — **fâché,** to be sorry, to be angry; — **joué,** to be fooled; — **riche à millions,** to be worth millions; **j'y suis,** I understand, I have it, I found; **ça y est,** right, that is done, there you are, etc.
étudier, to study.
eu, *past part. of* **avoir.**
Europe, *f.*, Europe.
évanouir (s'), to faint.
éveiller, to arouse.
événement, *m.*, event.
évidemment, evidently, obviously.
éviter, to avoid.
ex-, former.
exactement, exactly.
exagérer, to exaggerate.
examiner, to examine.
exaspéré-e, exasperated.
exaspérer, to exasperate, incense.
excellemment, excellently, so well.
exclamer (s'), to exclaim.
excuse, *f.*, excuse.
excuser, to excuse.
exemple, *m.*, example; **par —,** for instance; **par —!,** indeed! really! the idea!
exempt-e, exempt, free (from).
exercer, to fill, exercise.
exiger, to demand, require authoritatively.
exilé, *m.*, exile.
exiler, to exile.
expansion, *f.*, unreserve, effusion.
explication, *f.*, explanation.
expliquer, to explain; **s' —,** to be explained, to be plain, clear.
exprès, on purpose.
exprimer, to express; **s' —,** to express oneself.
extorquer, to extort.
extraordinaire, extraordinary.

F

face, *f.*, face; **bien en —,** straight in the eye; **en — de,** opposite.
fâcher, to offend, irritate; **se —,** to get angry.
facile, easy.
façon, *f.*, way, manner; **de — à,** so as to.
fadeur, *f.*, insipidity.
faible, *m.*, weakness, soft spot; **avoir un — pour,** to be fond of.
faible, *adj.*, weak, feeble.
faiblement, weakly.
faire, to do, make; — **attendre,** to keep waiting; — **campagne,** to be campaigning; — **cet effet,** to produce that effect; — **chaud,** to be warm; — **connaître,** to let know; — **de la peine,** to hurt, grieve; — **demander,** to send for; — **des amitiés,** to be friendly to; — **fausse route,** to be on the wrong track; — **impression,** to impress; — **la cour,** to make love to; — **la coquette,** to play the coquette, flirt; — **la leçon,** to give a sermon; — **la moue,** to be pouting; — **l'-**

avancement, to be the cause of advancement, promotion; — **le jeu,** to play the hand of; — **les gros yeux,** to look severe, cross; — **l'intéressé,** to pretend to be interested; — **le simulacre,** to sham; — **le tour,** to go round; — **mal,** to hurt; — **nommer,** to have . . . appointed; — **plaisir,** to give pleasure; — **préparer,** to have . . . prepared; — **rappeler,** to have recalled; — **des niches,** to play pranks; — **semblant,** to feign, pretend; — **signe,** to make a sign; — **une tête,** to look badly surprised; **bon à tout —,** fit for any bad job; **qu'est-ce que ça me fait?** what does it matter to me?

faire (se), to happen, to be; **se — à,** to get accustomed to; **comment se fait-il?** how does that happen? **se — prier,** to like to be coaxed.

faisable, feasible.

faisons, *pres. of* **faire.**

fait, *m.*, fact; **si —,** yes, indeed.

fait, *pres. of* **faire.**

falloir, *irreg.*, to be necessary, must.

fallu, *past part. of* **falloir.**

fameux-se, famous, celebrated.

familiarité, *f.*, familiarity.

familièrement, familiarly.

famille, *f.*, family.

fantaisie, *f.*, extravagance.

fantôme, *m.*, ghost.

farandole, *f.*, farandole; a popular dance in the South of France.

farce, *f.*, farce.

fatal-e, strange.

fatalité, *f.*, fatality, fate.

fatigué-e, tired.

faudrait, *condit. of* **falloir.**

faussement, falsely.

faut, *pres. of* **falloir.**

faute, *f.*, fault; **en —,** at fault; — **de,** for lack of.

fauteuil, *m.*, armchair.

faveur, *f.*, favor.

favorite, *f.*, favorite.

faux, fausse, false, wrong.

feindre, to feign, pretend.

feint-e, feigned, simulate.

féliciter, to congratulate.

femme, *f.*, wife, woman.

femmelette, *f.*, weakling.

fenêtre, *f.*, window; — **profonde,** in a recess; **porte- —,** French window.

fer, *m.*, iron.

ferait, *condit. of* **faire.**

fermeté, *f.*, firmness.

feu, *m.*, fire; **coup de —,** shot.

feuille, *f.*, leaf.

feuilleter, turn over.

fiancé-e, betrothed, affianced.

ficelle, *f.*, little string, tape, ribbon.

fichtre! the deuce! pshaw; my word!

fidèle, faithful, loyal.

fidèlement, faithfully.

fidélité, *f.*, fidelity, faithfulness.

fier (se), to trust.

fier-ère, proud, haughty.

fièrement, proudly.

figure, *f.*, face.

figurer (se), to imagine.

fille, *f.*, girl, daughter.

filleule, *f.*, godchild.
fils, *m.*, son.
fin, *f.*, end.
fin-e, fine, subtle, shrewd.
finement, artfully, finely.
fini-e, finished, all over.
finir, to finish, end, stop; **il faut en —,** the matter must be settled; **ne pas en —,** not to see the end of it.
fixement, fixedly.
fixer, to fix, settle, establish; **— dans les yeux,** to stare at.
flagrant-e, flagrant.
flambeau, *m.*, candlestick, torch.
flamme, *f.*, flame.
Flandre, Flanders.
flatter (se), to flatter oneself.
flatteur-se, flattering.
fleurette, *f.*, love speech; **conter —,** to flirt, make love speeches.
flûté-e, fluted.
foi, *f.*, faith; **ma —!** my faith! upon my word!
foin, *m.*, hay.
fois, *f.*, time; **une —,** once; **à la —,** both, at the same time.
folie, *f.*, madness.
folle, *f.*, crazy, absurd.
follement, madly.
fonction, *f.*, function.
fonctionnaire, *m.*, civil servant, employee.
fond, *m.*, back, background, bottom, remotest part; **au —,** at heart, when you think of it.
fondre, to melt.
font, *pres. of* **faire.**
force, *f.*, strength, power; **de —,** by force; **de toutes mes —,** with all my power.
forcé-e, forced.
forêt, *f.*, forest.
former, to form.
forfaiture, *f.*, prevarication, forfeiture.
fort-e, *adj.*, strong, loud, clever; *adv.*, very, much; — **à point,** just in time; **c'est trop —,** that is the limit.
fortement, strongly.
fortune, *f.*, fortune.
fou, fol, folle, crazy, foolish.
fougue, *f.*, passion, fire.
fourrer (se), le doigt dans l'œil, (*lit.*, to thrust one's finger into one's eye), to make a big mistake.
fragile, fragile, precious.
frais, fraîche, rosy; **teint —,** fresh complexion.
franc, franche, frank.
Français, *m.*, French, Frenchman.
franchement, heartily.
frapper, to strike, knock.
frayeur, *f.*, fear, alarm.
frémissant-e, vibrating with excitement.
frère, *m.*, brother.
frimousse, *f.*, face, pretty face.
froidement, coldly.
front, *m.*, forehead.
frousse, *f.*, mad fright.
fuir, to run away, fly away.
fuit, *pres. of* **fuir.**
fuite, *f.*, flight; **mettre en —,** to put to flight.
fureur, *f.*, fury, wrath.
furieux-se, furious.
fusillé, shot.
fuyard, *m.*, runaway.

G

gagner, to earn, win; **vous —,** to win from you.
gagner (se), to be earned.
gai-e, gay, merry.
gaieté, *f.*, gaiety; **d'une —!** of such gaiety!
gaillard, *m.*, fellow, merry blade.
gala, *m.*, gala, pomp, show.
galamment, courteously.
galant-e, gallant, courteous.
galerie, *f.*, gallery.
galopade, *f.*, gallopade.
gamin, *m.*, little boy, youngster; **gamine,** *f.*, little girl.
gant, *m.*, glove.
garçon, *m.*, boy, fellow.
garde, *f.*, guard; **— de corps,** bodyguard; **— royale,** Royal Guard; **de —,** on duty; **prendre —,** to take care; **sur ses —,** on one's guard.
garde-malade, *f.*, nurse.
garder, to keep, guard.
garnison, *f.*, garrison; **tenir —,** to be in garrison, to be garrisoned.
gâter (se), to go wrong, take a bad turn.
gauche, *f.*, left; **à —,** on the left.
gazon, *m.*, lawn, grass.
gênant-e, embarrassing.
gêné-e, embarrassed, ill at ease.
gêner, to embarrass, inconvenience, be in the way; **se —,** to put oneself out; **ne vous gênez pas,** make yourself at home.
génie, *m.*, genius.
genou, *m.*, knee; **se jeter à —x,** to throw oneself on one's knees.
genre, *m.*, way, manner.
gens, *m. plur.*, people.
gentil-le, well-behaved, graceful.
gentilhomme, *m.*, nobleman.
gentiment, gracefully, nicely.
geste, *m.*, gesture.
gifle, *f.*, slap.
gilet, *m.*, waistcoat, vest.
glace, *f.*, looking-glass.
glace, *f.*, ice.
glacé-e, frozen.
glacial-e, frozen, cold.
gonfler, to swell.
gorge, *f.*, throat.
goût, *m.*, taste.
grâce, *f.*, favor; **— à,** thanks to; **de —,** pray!
Grâces, *f.*, (The) Graces.
gracieusement, gracefully.
gracieux-se, graceful.
grade, grade, rank.
graisser la patte, to bribe.
grand-e, big, great, tall.
grand'chose, pas —, not much, a trifle.
gratter, to scratch, erase; to make a slight noise.
grave, serious; **rien de —,** nothing serious.
gravement, seriously.
gravier, *m.*, gravel.
gré, will, pleasure; **de bon —,** willingly.
grêle, *f.*, hail.
grièvement, dangerously, badly.
grille, *f.*, gate of a castle.
grimace, *f.*, grin.
gris-e, gray, half intoxicated.
griser, to intoxicate.

grognard, *m.*, grumbler, old soldier.
grogner, to grumble, mumble.
grommeler, to grumble.
grondement, *m.*, roar.
gronder, to scold.
gros-se, big, a great deal.
groupe, *m.*, group.
grouper (se), to form a group.
guère, hardly.
guerre, *f.*, war.
guetter, to watch, be on the watch for.
guindé-e, stiff, hoisted.

H

habile, clever, skillful.
habitude, *f.*, habit, custom; **d' —,** usually.
habituer, to accustom; **s' —,** to get accustomed.
hacher, to slaughter, cut to pieces.
haletant-e, panting.
halte-là! halt!
hameau, *m.*, hamlet.
hardi-e, daring.
harpiste, *m. or f.*, harpist.
hâte, *f.*, haste; **avoir —,** to be in a hurry to.
hausser les épaules, to shrug one's shoulders.
haut-le-corps, *m.*, start, jump.
haut-e, high; **à — voix,** aloud; **de très —,** haughtily; **— placé,** in a high position.
hé! I say!
hein! eh! what!
héros, *m.*, hero.
hésitation, *f.*, hesitation.
hésiter, to hesitate.
heure, *f.*, hour; **à la bonne —!** good! good for you!; **de bonne —,** early; **un quart d' —,** a quarter of an hour; **à l' — qu'il est,** at this time; **tout à l' —,** in a little while.
heureusement, fortunately.
heureux-se, happy.
hier, yesterday.
histoire, *f.*, story.
hocher la tête, to shake one's head.
holà! hello! I say!
homme, *m.*, man.
honnête, honest.
honneur, *m.*, honor.
honte, *f.*, shame; **avoir —,** to be ashamed.
horrible, horrible.
hostile, hostile.
hôtel, *m.*, mansion.
humeur, *f.*, humor; **de bonne —,** in good humor.
hurler, to yell.
hypocrite, *m. or f.*, hypocrite.

I

ici, here; **d'ici une demi-heure,** within half an hour; **par —,** this way.
idée, *f.*, idea.
idiot-e, idiotic, an idiot.
ignorer, to ignore, not to be aware, not to know.
île, *f.*, island.
imaginer (s'), to think, believe.
imbécile, *m. or f.*, fool.
immobile, motionless.
impassible, impassive.
impatienté-e, impatient, annoyed.
impeccable, faultless.

impératrice, *f.*, empress.
impérialiste, imperialist.
importer, to matter; **peu importe,** it matters little; **qu'importe!** what does it matter! **n'importe,** never mind; **n'importe où,** anywhere.
importun, *m.*, importunate, bothersome person.
importuner, to bother, importune.
impossible, impossible.
imposteur, *m.*, impostor.
impotent-e, infirm.
impression, *f.*, impression.
improviste (à l'), on a sudden, unaware, unexpectedly.
imprudemment, imprudently.
impuissant-e, powerless.
incapable, unable, incapable.
incarner, to incarnate, embody.
incendier, to set on fire.
incident, *m.*, incident.
incliner (s'), to bow.
inconcevable, inconceivable, strange, unimaginable.
incorrigible, incorrigible.
incroyable, incredible.
indignation, *f.*, indignation.
indigné-e, indignant.
indiquer, to point out, indicate.
indiscret-ète, indiscreet.
indiscrétion, *f.*, indiscretion.
infirme, infirm, crippled.
infliger, to inflict.
influence, *f.*, influence.
ingrat, *m.*, ingrate.
injustice, *f.*, injustice.
inquiet, uneasy, worried.
inquiéter, to worry.
inquiétude, *f.*, uneasiness, worry.
insolent-e, insolent.
installer, to settle, establish, fix; **s' —,** to settle oneself.
instance, *f.*, solicitation, earnest, entreaty.
instant, *m.*, instant, moment; **à l' —,** immediately.
instruction, *f.*, instruction.
insubordonné, insubordinate.
insurrection, *f.*, insurrection.
intenable, unbearable.
intéressé-e, interested.
intéresser, to interest; **s' —,** to take interest, to be interested.
interêt, *m.*, interest.
intérieur, *m.*, home.
interloquer, to nonplus, disconcert.
intermède, *m.*, interlude.
interpeller, to question.
interroger, to ask questions.
interrompre, to interrupt.
intervenir, to interfere, interpose.
intime, intimate.
intimidé-e, intimidated, shy.
intrigant-e, intriguer.
intrigue, *f.*, intrigue, plot.
intriguer, to intrigue, plot.
introductrice, *f.*, introducer.
introduire, to introduce.
inutile, useless, no need to try.
invitation, *f.*, invitation.
invité, *m.*, guest.
inviter, to invite.
invraisemblable, unlikely, extraordinary.
irai, *fut. of* **aller.**
ironique, ironic.
irrécusable, irrecusable.
irréprochable, irreproachable.

irrespect, *m.*, disrespect, lack of respect.
italien-ne, Italian.

J

jalousie, *f.*, jealousy.
jaloux-se, jealous.
jamais, never, ever; **ne —,** never.
jambe, *f.*, leg.
jardin, *m.*, garden.
jaseur-se, chattering.
Jean, John.
jeter, to throw; **se —,** to throw oneself.
jeu, *m.*, play; **même —,** same performance; **faire le — de,** to play the game of, to play into somebody's hand.
jeune, young.
jeunesse, *f.*, youth.
joie, *f.*, joy.
joindre, *irreg.*, to join, bind; **se — à,** to join.
joli-e, pretty, nice.
joliment, nicely.
joué, fooled, tricked.
jouer, to play; to fool, trick; **— de la harpe,** play the harp.
joueur, *m.*, player.
jour, *m.*, day; **— même,** same day; **percé à —,** unmasked.
journée, *f.*, day.
joyeux-se, joyous.
jubiler, to be jubilant.
juger, to judge.
jupe, *f.*, skirt.
jurer, to swear.
juron, *m.*, swearing, oath.
jusque, till, until, up to; **jusqu'à,** as far as; **jusqu'à ce que,** until; **jusqu'au bout,** till the end; **jusqu'ici,** until now.
juste, right! exactly; **très —,** quite right; **au —,** exactly.
justement, precisely, right, exactly.
justice, *f.*, justice.

K

Kaiserlick, *m.*, Austrian soldier.

L

la, the, her, it.
là, there, here; **par —,** that way.
lâcher, to let go; **ne pas le — d'une semelle,** to stick close to his heels.
lâcheté, *f.*, cowardice.
laisser, to let, leave; **— entendre,** to make understand, hint; **— tranquille,** to leave alone; **— la paix,** to leave alone.
lame, *f.*, blade.
lamentable, lamentable.
lampe, *f.*, lamp.
lance, *f.*, lance.
lancer, throw.
lancier, *m.*, lancer.
langage, *m.*, language.
langoureux-se, languishing, languid.
langue, *f.*, tongue.
laquelle, *f. of* **lequel.**
larbin, *m.*, a disparaging word for servant.
large, broad, wide, large; **de long en —,** up and down.
largement, generously.
larme, *f.*, tear.
lassitude, *f.*, weariness.
latin, *m.*, Latin.

laurier, *m.*, laurel.
le, the, him, it, so.
leçon, *f.*, lesson; **faire la —,** to give a sermon.
léger-ère, light.
légèrement, lightly.
Légion d'Honneur, *f.*, a civil and military order founded by Napoléon in 1802.
légitime, legitimate.
lendemain, *m.*, morrow, next day.
lentement, slowly.
lequel, laquelle, lesquels, lesquelles, which, that, who, whom.
leur, *poss. adj.*, their; **le —,** *poss. pron.*, theirs; *pers. pron.*, to them.
lever, *m.*, rising.
lever, to lift, raise; **se —,** to get up, to stand up, arise.
libation, *f.*, libation.
liberté, *f.*, liberty, freedom.
libre, free.
lier, to bind, unite.
lieu, *m.*, place; **au — de,** instead of; **avoir —,** to take place.
lieue, *f.*, league; **un quart de —,** a quarter of a league.
lieutenant, *m.*, lieutenant.
ligne, *f.*, line.
limite, *f.*, limit.
lire, *irreg.*, to read.
lisière, *f.*, outskirt.
liste, *f.*, list.
livrer, to give up, engage in a (battle); **se —,** to indulge in, deliver oneself up.
loge, *f.*, loge, box.
loin, far.
lointain-e, distant, in the distance.
loisir, *m.*, leisure.
long, longue, long; **le — de,** along; **de — en large,** up and down; to and fro.
longtemps, a long while, long.
longuement, at length, a long while.
lorgner, to look at with an eye-glass or opera-glass.
lorgnette, *f.*, field-glass.
lorsque, when.
louche, suspicious.
loucher, to squint.
loup, *m.*, wolf; **à pas de —,** stealthily.
lourdement, heavily.
loyauté, *f.*, loyalty.
lui, he, him, it, to him, to her, to it; **— même,** himself.
lune, *f.*, moon; **clair de —,** *m.*, moonlight.
lutter, to battle, contend.
luxe, *m.*, luxury; **place de —,** first-class position.

M

M., *abbrev. of* **Monsieur.**
machin (F). *m.*, thing, stuff.
machiavélique, machiavellian.
machinalement, mechanically.
machination, *f.*, machination, plot, intrigue.
mâchonner, to mumble, grumble.
madame, madam, Mrs.
mademoiselle, Miss.
main, *f.*, hand; **la — dans le sac,** in the act; **mettre la — au collet,** to arrest.
maintenant, now.

maintenir, to maintain, hold.
maintien, *m.*, carriage, deportment.
maire, *m.*, mayor.
mais, but, why.
maison, *f.*, house.
maître, *m.*, master; **coup de —,** masterly stroke; **grand — du palais,** grand master of the palace.
maîtresse, *f.*, mistress.
mal, *m.*, harm, evil.
mal, badly, wrong; **— élevé,** badly brought up.
malade, ill, sick.
malchance, *f.*, bad luck.
malcontent, *m.*, malcontent; *pl.*, disaffected people.
malgré, in spite of, notwithstanding.
malheur, *m.*, misfortune; **— à,** woe to.
malheureux-se, wretched, unhappy.
malice, *f.*, mischievousness.
malicieusement, mischievously, slyly.
malin, *n.*, sly, shrewd, artful person.
malin-maligne, *adj.*, malicious, malignant, mischievous.
maman, *f.*, mamma.
manche, *f.*, sleeve.
mander, to send for.
manière, *f.*, manner; **de — que,** in such a manner as; **de la même —,** in the same way or manner.
manigance, *f.*, intrigue, underhand dealing.
manquer, to miss, be missed, lack, be lacking; **— son coup,** to miss one's stroke, fail in one's attempt.
manteau, *m.*, cloak.
marche, *f.*, walk; **pendant la —,** while walking.
marché, *m.*, market; **par dessus le —,** on top of it, into the bargain.
marcher, to walk, march; **ça marche** (F), things are O.K.; things are going well, their own way.
maréchal, *m.*, marshal.
mari, *m.*, husband.
mariage, *m.*, marriage.
marier, to marry.
marquis, *m.*, marquis.
mâtin! by Jove!
matraque, *f.*, cudgel, club.
maudit-e, cursed.
mauvais, a bad thing.
me, me, myself, to me, for me.
méchant-e, bad, naughty, wicked.
mécontent, *m.*, malcontent; *adj.*, **mécontent-e,** dissatisfied.
médecin, *m.*, physician, doctor.
médisant-e, slanderous.
médusé-e, petrified.
mégarde, *f.*, inadvertence.
meilleur-e, better; **le** *or* **la meilleur-e,** the best.
mélancolie, *f.*, melancholy.
mélancolique, melancholy, gloomy.
mêler, to mix, involve; **se —,** to be involved, to meddle.
même, same, even, self, also; **tout de —,** all the same; **en — temps,** at the same time.
menace, *f.*, threat.
menacer, to threaten.

mener, to lead.
mensonge, *m.*, lie.
méprendre (se), to be mistaken.
mépriser, to despise.
merci, thank you; — **bien,** thank you very much; **dieu —!** thank heavens!
mère, *f.*, mother.
mériter, to deserve.
Mérovingien, Merovingian.
merveilleusement, marvelously.
merveilleux-se, marvelous, wonderful.
messieurs, *m. plur.*, gentlemen.
métamorphose, *f.*, transformation.
métier, *m.*, trade, job.
mettre, *irreg.*, to put; — **à la porte,** to expel, fire; — **la main sur,** to discover, unearth; — **la main au collet,** to arrest; **se — à,** to begin to; **se — dans un état,** to put oneself into a condition; **se — en travers,** to be an obstacle, be hindering, to block.
meuble, *m.*, furniture.
mie (ma), my dearest.
mien-ne, mine.
mieux, better, better-looking; **ce quil y a de —,** what is best; — **vaut,** it is much better.
milieu, *m.*, middle; **au — de,** in the middle of, among.
militaire, *m.*, soldier; *adj.*, military.
mille, thousand.
million, *m.*, million; **riche à —s,** worth millions.
mine, *f.*, countenance, appearance, look.
ministre, *m.*, minister; — **de la police,** minister of police.
minois, *m.*, pretty face.
minuit, midnight.
minute, *f.*, minute.
miroir, *m.*, mirror.
mis, *past part. of* **mettre.**
mise, être de —, to be accepted, admitted, proper.
mission, *f.*, mission.
mitraille, *f.*, grapeshot; **sous la —,** under heavy fire.
mi-voix, *f.*, low voice; **à —,** in a low voice.
modestie, *f.*, modesty.
moi, I, me, myself.
moindre (le), the least, the slightest.
moins, less; **de — en —,** less and less; **du —** *or* **au —,** at least.
mois, *m.*, month.
moisir, to mould, vegetate; **ne pas — ici,** not to vegetate here.
moitié, *f.*, half.
mollet, *m.*, calf (of the leg), ankle.
moment, *m.*, moment.
mon, *m.*, my.
monarchie, *f.*, monarchy.
monarque, *m.*, monarch.
monde, *m.*, world, society, people; **tout le —,** everybody; **que de —!** what a lot of people!
monsieur, Mr., Sir, gentleman.
monter, to climb, go up, come up, get in.
montrer, to point out, show.
moquer de (se), to make fun of, to laugh at, not to care.

morceau, *m.*, piece (of music); bit.
mort, *f.*, death.
mort, *past part. of* **mourir.**
mot, *m.*, word; **d'un** —, with a word.
motif, *m.*, subject of composition (sculpture).
mouchard, *m.*, police spy.
mouchoir, *m.*, handkerchief.
moue, *f.*, pouting; **faire la** —, to pout.
mouillé-e, wet; **poule** —, milksop, softy.
moulure, *f.*, moulding.
mourir, to die; — **de faim,** to die of hunger; — **de rire,** to die of laughter.
mousse, *f.*, moss.
mouvement, *m.*, life, motion, movement, sedition.
moyen, *m.*, means, power, way; **les grands —s,** extreme measures.
muet-te, silent.
mur, *m.*, wall.
murmure, *m.*, murmur.
muscle, *m.*, muscle.
musique, *f.*, music.
mutin-e, playfully.
mystérieusement, mysteriously.

N

Nain Jaune, Pope Joan.
naître, *irreg.*, to be born.
naturel-le, natural.
naturellement, naturally, of course.
navré-e, heart-broken.
néanmoins, nevertheless.
ne, not, no.
né-e, born.
négligemment, carelessly.
nerf, *m.*, nerve.
nerveux-se, nervous, excited.
net-te, distinct, clear.
nettement, explicitly, frankly.
nez, *m.*, nose; — **à** —, face to face; **baisser le** —, to look down; **rire au** — **de,** to laugh in one's face.
ni, nor, or; **ni . . . ni,** neither . . . nor.
niche, *f.*, prank, trick.
nièce, *f.*, niece.
nigaud, *m.*, simpleton, noodle.
noir-e, black.
nom, *m.*, name; — **de tonnerre!** thunders! — **d'une pipe!** Great Scott!
nombreux-se, numerous.
nommer, to name; **faire** —, to have appointed.
non, no, not; — **plus,** either.
nos, *plur.*, our.
notoirement, notoriously.
notre, our; **des nôtres,** one of us, belonging to our party, gang, etc.
nourrice, *f.*, nurse.
nourrir, to feed.
nous, we, us, each other.
nouveau, nouvel, nouvelle, new; **le nouveau,** the man who has newly come; **de** *or* **à** —, anew, again.
nuage, *m.*, cloud.
nuit, *f.*, night; — **tombante,** nightfall; **bonne** —, good-night.
nul, no one.
nullement, not at all, by no means.

O

ô, o, oh! (*invocation*).
obéir, to obey.
obliger, to compel, force.
obliquement, obliquely.
obscur-e, obscure, not clear.
obtenir, *irreg.*, to obtain.
occasion, *f.*, opportunity.
occupé-e, busy.
occuper, to occupy, hold; **s' — de,** to busy oneself with, look after, be in charge of.
offenser, to offend.
officier, *m.*, officer.
offrir, *irreg.*, to offer, give.
oh! oh!
ombre, *f.*, shadow.
omis, *past part. of* **omettre.**
on, one, we, they, people.
oncle, *m.*, uncle.
opérer, to act, operate.
or, now, well, and so, but.
orchestre, *m.*, orchestra.
ordinaire, ordinary, common.
ordinaire (**d'**), usually.
ordonnance, *f.*, orderly.
ordre, *m.*, order.
oreille, *f.*, ear; **prêter l' —,** to listen very attentively.
orgueil, *m.*, pride.
orienter (**s'**), to find one's direction.
original, uncommon.
orner, to adorn.
oser, to dare.
ôter, to take off, remove.
ou, or; **ou . . . ou,** either . . . or.
où, where, when; **par —,** by or through which.
oublier, to forget.
ouf! oh! ouch!
oui, yes.
ours, *m.*, bear.
outre (**en**), besides, moreover.
outré-e, exasperated, stung.
ouvert-e, *past part. of* **ouvrir.**
ouvrir, *irreg.*, to open; **s' —,** to open.

P

paille, *f.*, straw.
pain, *m.*, bread; **petit —,** roll.
paix, *f.*, peace; **laisser la —,** to leave alone.
palais, *m.*, palace.
pâlir, to grow or turn pale.
pan coupé, with blunted angles.
panier, *m.*, basket.
panneau, *m.*, panel.
pansement, *m.*, dressing (surgical).
panser, to dress (a wound).
papa, *m.*, papa.
papier, *m.*, paper.
paquet, *m.*, parcel, bundle.
paqueté-e, packed, strapped.
paqueter, to pack.
par, by, through, out of, in; **— -dessus,** above; **— -dessus le marché,** added to that, into the bargain; **— ici,** this way; **— là,** that way, by that.
paraître, *irreg.*, to seem, to appear.
parbleu! why! of course! the idea! my faith!
parce que, because.
parcourir, *irreg.*, to glance over, to go over, wander over.
par-dessus, over, upon; **— -dessus le marché,** into the bargain.

pardon, *m.*, pardon; **je vous demande —,** I beg your pardon.
pardonner, to forgive.
pareil-le, like, similar, such, such a.
parents, *m. plur.*, father and mother.
parfait-e, perfect; right! very good!
parfaitement, certainly, perfectly, right.
parfois, sometimes.
parier, to bet, wager.
parler, to speak, talk; **— mal,** to speak ill; **se —,** to speak to each other.
parmi, among.
parole, *f.*, word.
parrain, *m.*, godfather.
part, *f.*, part; **à —,** aside; **de la —,** on the part; **de ma —,** on my part.
parti, *m.*, party.
particulier, *m.*, fellow.
particulier-ère, special.
particulièrement, especially.
partie, *f.*, part, game.
partir, *irreg.*, leave, start, to go away.
partisan, *m.*, partisan, ally.
partout, everywhere.
parvenir, to succeed, reach, attain.
pas, no, not, any; **ne . . . —,** not.
pas, *m.*, step; a one-step dance; **à — de loup,** stealthily; **de ce —,** directly.
passage, *m.*, passage, passing; **au —,** while one passes.
passé, *m.*, past.
passer, to pass, spend, enter; **— pour,** to be considered as; **se —,** to happen, take place.
passionnément, passionately.
paternel-le, paternal.
paternellement, paternally.
patience, *f.*, patience; **—! be** patient.
patrouille, *f.*, patrol.
pauvre, poor.
payer, to pay.
pays, *m.*, country.
paysan, *m.*, peasant.
peau, *f.*, skin.
pécuniaire, pecuniary, financial.
peindre, *irreg.*, to paint.
peine, *f.*, grief, trouble, difficulty; **à —,** hardly; **cela me fait de la —,** that hurts me; **ce n'est pas la —** *or* **ne vaut pas la —,** it is not worth-while, no use to; **sous — de,** under penalty of.
pencher (se), to lean.
pendant, during; **— que,** while.
pendant-e, hanging.
pendre, to hang.
pendule, *f.*, clock.
pénétrer, to penetrate, get in.
péniblement, painfully, with difficulty.
pénitence, *f.*, penance; **mettre en —,** to punish (a child).
penser, to think.
perdre, to lose; **— connaissance** to faint; **— de vue,** to lose sight of; **ne pas — de l'œil,** to keep an eye on.
perdu, *past part. of* **perdre.**
père, *m.*, father.
péril, *m.*, peril, danger.
période, *f.*, period.

permettre, *irreg.*, to allow, permit; **se —,** to allow oneself.
péronnelle, *f.*, silly and talkative woman.
perron, *m.*, door-step, porch.
personne, *f.*, person; *m.*, no one, nobody, anybody; **plus —,** no one left.
persuasif-ve, persuasive.
peste, *f.*, pest.
pétard, *m.*, petard; **faire un — de tous les diables,** to cause an awful sensation or scandal.
petit-e, little, small, short.
peu, *m.*, small quantity, lack.
peu, little, few; **— à —,** little by little, gradually.
peuh! pooh!
peur, *f.*, fear; **avoir —,** to be afraid.
peut, *pres. of* **pouvoir.**
peut-être, may be, perhaps.
peuvent, *pres. of* **pouvoir.**
peux, *pres. of* **pouvoir.**
piano, *m.*, piano.
picoter (F), to tickle, hurt.
pièce, *f.*, room.
pied, *m.*, foot; **à —,** on foot; **sur —,** ready to march.
piétinement, *m.*, tramping.
pincée, *f.*, pinch (of snuff).
pincé-e, *adj.*, stiff, affected.
pincer, to pinch.
pis, worse; **tant —,** so much the worse; never mind.
piste, *f.*, track.
place, *f.*, position, place; **à sa —,** in his place; **— de luxe,** a wonderful high-class position; **sur —,** on the spot; **ne pas tenir en —,** to be restless.
plaie, *f.*, wound.
plaine, *f.*, plain.
plaire, *irreg.*, to please, to be liked by, to suit; **comme il vous plaira,** as you please; **se —,** to like it, enjoy it, be pleased with; **se — à,** to take pleasure in.
plaisanterie, *f.*, joke.
plaisanter, to joke.
plaisir, *m.*, pleasure.
plan, *m.*, plan, scheme; **au premier —,** at the front part of the stage; **au deuxième —,** in the middle of the stage.
planton, *m.*, orderly; **être de —,** to be on duty.
plateau, *m.*, tray.
plat-e, flat, obsequious.
platonique, platonic.
plein-e, full.
pleurer, to cry.
pli, *m.*, letter, message.
plupart (la), *f.*, most (of).
plus, more, most, plus; **— de,** more, no more; **ne —,** no more, no longer; **il n'en peut —,** he is exhausted.
plusieurs, several.
plutôt, rather.
poche, *f.*, pocket; **comme ma —,** through and through.
poignard, *m.*, poniard, dagger.
poignarder, to stab.
poignée, *f.*, handful; **— de mains,** handshake.
poil, *m.*, hair.
poing, *m.*, fist.
point, *m.*, degree; **à quel —,** to what degree, how; **de — en —,** fully, in every respect; **en tous**

—s, in all respects; **sur le —,** on the verge; **fort à —,** in good time.
poison, *m.*, poison.
poitrine, *f.*, chest, breast.
police, *f.*, police, police force.
policier, *m.*, detective.
porte, *f.*, door; — **à deux battants,** folding door; — **-fenêtre,** French window.
portefeuille, *m.*, portfolio.
porte-musique, *m.*, music case.
porter, to carry, wear; **se —,** to take oneself to, to go to.
poser, to lay down, place, set, give; — **une question,** to ask a question.
possible, possible; **faire son —,** to do one's best.
poste, *m.*, post, position.
pouah! pah! ugh!
poule, *f.*, hen; — **mouillée,** milksop, softy.
pour, to, in order to, for; — **ça** = **quant à ça,** as to that; — **que,** in order that.
pourquoi? why?
pourriez, *condit. of* **pouvoir.**
pourtant, yet, however.
pourvu que, provided that; so long as; if only, I do hope.
pousser, to push, to utter; — **un cri,** to utter a cry; — **un sanglot,** to sob; — **un soupir,** to heave a sigh.
pouvoir, to be able, can, may; **je n'en puis plus,** I am tired out, exhausted.
pouvoir, *m.*, power.
précaution, *f.*, precaution.
précéder, to precede.
précieusement, preciously, carefully, as a thing of great value.
précipitamment, in a hurry, in a rush.
précipiter (se), to rush.
précis-e, precise.
précisément, precisely.
préférer, to like better, prefer.
préjudiciable, detrimental.
préluder, to prelude.
premier-ère, first.
prenais, *imperf. of* **prendre.**
prenant, *pres. p. of* **prendre.**
prendre, *irreg.*, to take, take hold of, assume; — **garde,** to take care; — **part,** take part.
prénom, *m.*, Christian name.
préparer, to prepare, get ready.
près (de), near, near by, close to; **de plus —,** nearer.
présenter, to offer, introduce; **se —,** to introduce oneself.
presque, almost.
pressant-e, pressing, urgent.
pressé-e, urgent, in a hurry.
presser, to press, urge; **se —,** to throng; hurry; squeeze, press.
prêt-e, ready.
prétendant, *m.*, pretender.
prétendre, to pretend.
prêter, to lend; — **serment,** to take oath; — **l'oreille,** to listen attentively.
prétexte, *m.*, pretence, pretext.
preuve, *f.*, proof.
prévenir, *irreg.*, to warn, foresee, inform.
prévision, *f.*, prevision.
prévoir, *irreg.*, to foresee.
prier, to beg, pray; **je vous en**

prie, I pray; **se faire —,** to like to be coaxed.
primitif-ve, primitive.
pris, *past part. of* **prendre.**
prise, *f.*, pinch of snuff.
privé-e, private.
prix, *m.*, price.
probablement, probably, very likely.
prochain-e, next, coming.
produire, *irreg.*, to produce, cause; **se —,** to happen.
profiter, to take advantage, profit.
profond-e, deep, in a recess.
profondément, deeply.
projet, *m.*, project, plan.
prologue, *m.*, prologue.
prolonger, to prolong, continue.
promenade, *f.*, walk.
promener (se), to walk, take a walk.
promettre, *irreg.*, to promise.
promis, *past part. of* **promettre.**
prononcer, to pronounce; **— un serment,** to take oath.
propriété, *f.*, property.
proscription, *f.*, proscription, banishment.
proscrit, *m.*, outlaw, exile.
protecteur-trice, protector.
protéger, to protect.
protestation, *f.*, protest.
protester, to protest.
prouver, to prove, show; **se —,** to be proved.
province, *f.*, province.
prude, prudish.
prussien, *m.*, Prussian.
psst! pst! pst!
pu, *past part. of* **pouvoir.**
publier, to publish.
publiquement, publicly.
puis, then, besides.
puisque, since (cause).
puissance, *f.*, power.
puissant-e, powerful, influential.
puissions, *pres. subj. of* **pouvoir.**
punir, to punish.
pur-e, pure.

Q

qualifier, to qualify, call.
qualité, *f.*, quality.
quand, when, although; even **if; — même,** just the same; **depuis —,** how long?
quant à, as to, as for.
quart, *m.*, quarter; **— d'heure,** quarter of an hour.
quatre, four.
que, whom, that, which, what; when, how, how much, how many; let; **ne . . . —,** only; **— de monde!** what a lot of people!
quel? quelle? quels? quelles? what? which?
quelconque, whatever.
quelque, some, a few; however.
quelque chose, something.
quelquefois, sometimes.
quelqu'un, some one; **— d'autre,** some other person.
question, *f.*, question.
qui, who, whom, that, which; **ce —,** what; **— que ce soit,** anyone.
quitter, to leave; **se —,** to part.
quoi, which, what, how; **— que,** whatever.
quoique, although.
quotidien-ne, daily.

R

raconter, to relate, tell, report.
rafraîchissement, *m.*, refreshment.
rage, *f.*, rage, fury.
railleur-se, railing.
raison, *f.*, reason; **avoir —,** to be right.
raisonnable, reasonable,
ramener, to carry back, bring back.
rang, *m.*, rank.
ranger, to put in order; **se — en ligne,** to place oneself in a line, line up.
rapidement, rapidly.
rappeler, to recall; **se —,** to remember.
rapprochant (en), in putting together.
rapproché-e, in quick succession.
rapprocher (se), to come nearer.
rarement, seldom, rarely.
raser, to shave.
rasseoir (se), *irreg.*, to sit down again.
rassied, *pres. of* **rasseoir.**
rassurer, to reassure.
rattraper, to overtake.
ravi-e, delighted, charmed.
ravir, ravish, deprive of; **à —,** delightfully.
raviser (se), to change one's mind.
ravissant-e, delightful, graceful.
rayon, *m.*, ray.
rayonnant-e, radiant.
réaction, *f.*, reaction.
réagir, to react.
réassurer (se), to reassure oneself.
recevoir, *irreg.*, to receive.
récit, *m.*, account.
réclamer, claim, call.
recommander, to recommend; **se faire —,** to have oneself recommended.
recommencer, to start again.
reconduire, to see or show out, accompany to the door.
reconnaissant-e, grateful.
reconnaître, to recognize; **se —,** to find one's way.
recourir, to have recourse.
rectifier, to rectify, to correct oneself.
recueillir, *irreg.*, to receive, give hospitality to.
reculer, to move back; hesitate; **ne — devant rien,** not to shrink before anything.
reculons (à), backwards.
redevenir, to become again.
redoubler, redouble.
redresser, to straighten; **se —,** to stand up, get straight again, raise oneself.
refaire, to do again, make again, fix again.
refermer, to close again.
réfléchir, to reflect, think.
refouler, to push back.
refus, *m.*, refusal.
refuser, to refuse.
regagner, to get back to, join.
regard, *m.*, look, glance; **suivre du —,** to follow with one's eyes.
regarder, to look, look at; **se — de travers,** to glare at one another, to look at each other like cats and dogs.
régime, *m.*, régime.
régiment, *m.*, regiment.

régler, to settle.
regret, *m.*, regret; **être au —,** to be sorry, regret.
rejoindre, to join, rejoin.
réjouir, to rejoice.
réjouissance, *f.*, enjoyment, rejoicing.
relever (se), to get up again, stand up.
relire, *irreg.*, to read again.
remarquer, to notice, observe.
rembrunir (se), to get gloomy, darken.
remédier, to remedy; **y —,** to remedy the matter; to put the trouble right.
remercier, to thank.
remettre, *irreg.*, to hand, deliver, remit; to put on again; **se —, to** begin again, resume; to recover.
remords, *m.*, remorse.
remplir, to fill.
remporter, to win.
remuer, to act, move; stir.
rencontre, *f.*, falling in with; **aller à la —,** to go and meet.
rencontrer, to meet; **se —,** to meet.
rendez-vous, *m.*, meeting-place.
rendre, to give back, return, render; **se — à,** to take oneself to; **to** make oneself look.
renfort, *m.*, reinforcement.
rengorger (se), to bridle up, carry it high.
renommée, *f.*, reputation.
renoncer, to give up, renounce.
renouveler, to renew, repeat.
renseigner, to inform, give information.
rentrer, to go in again, return.
renvoyer, to dismiss, send back.
repentant-e, repentant.
répéter, to repeat.
répondre, to answer; **je t'en réponds,** I can assure you, vouch for it.
repos, *m.*, rest; **en —,** at rest, quiet.
reposé-e, rested.
reposer (se), to rest.
répréhensible, reprehensible.
reprendre, to take again, start again, resume; **se —,** to correct oneself; **s'y — à plusieurs fois, to** make several repeated attempts.
reprise, à plusieurs —s, repeatedly, several times.
reproche, *m.*, reproach.
reprocher, to reproach; **se —,** to reproach oneself.
républicain, *m.*, republican.
répulsion, *f.*, repulsion.
requête, *f.*, request.
résister, to resist.
résolument, with decision.
résoudre, to resolve.
respectueusement, respectfully.
respectueux-se, respectful.
respirer, to breath, to be relieved.
ressentir, to feel, to experience.
reste, *m.*, rest.
reste (du), besides.
rester, to remain.
résumer, to sum up.
retenir, *irreg.*, to repress, retain, keep back; **se —,** to restrain oneself, hold oneself.
retirer, to pull off, draw off, withdraw; **se —,** to retire, withdraw.
retomber, to fall back, fall again.

retour, *m.*, return.
retourner, to return; **se —,** to turn about.
retraite, *f.*, retreat.
retrouver, to find again, meet again.
réuni-e, assembled, united.
réussir, to succeed.
revanche, *f.*, revenge.
rêve, *m.*, dream; **ne faire qu'un —,** to have only one ambition.
révélation, *f.*, revelation.
revendre, to spare.
revenir, to come back, return; **en —,** to recover; **n'en pas —,** to escape, not to recover; **— sur ses pas,** to retrace one's steps; **— à soi,** to come to oneself again (after fainting).
revenu, *m.*, income.
rêver, to dream.
révérence, *f.*, reverence, courtesy.
revêtir, to put on.
rêveur-se, dreaming, musing.
revient, *pres. of* **revenir.**
revoir, to see again.
révolte, *f.*, revolt.
révolté-e, indignant.
riant-e, smiling.
ricanement, *m.*, sneer.
ricaner, to sneer.
riche, rich; **— à millions,** worth several millions.
rideau, *m.*, curtain.
ridicule, ridiculous.
rien, *m.*, nothing, trifle; *adv.*, **ne . . . rien,** nothing, anything.
rigaudon, *m.*, rigadoon; a dance of the eighteenth century.
rigide, stiff, rigid.
rire, *m.*, laughter.
rire, to laugh; **— sous cape** or **— en dessous,** to laugh in one's sleeve; **— aux éclats,** burst out laughing; **— de plus belle,** to laugh more than ever.
risquer, to risk, take a risk.
rival, *m.*, rival.
robe, *f.*, dress, skirt; **— de bal,** ball dress.
roi, *m.*, king.
rôle, *m.*, part, character, rôle.
romain-e, Roman.
romance, *f.*, sentimental song.
rompre, to break.
ronde, *f.*, beat.
rond-point, *m.*, junction (of several roads).
ronger, to consume.
roue, *f.*, wheel; **mettre des bâtons dans les roues,** to put a spoke in his *or* her wheel, to interfere.
rouge, red.
rougir, to blush.
rouleau, *m.*, roll.
roulement, *m.*, rolling.
rouler, to roll; fool, take in.
route, *f.*, road.
rouvrir, to reopen.
royal-e, royal.
royaliste, *m.*, royalist.
rude, rude, rough.
rugir, to roar.
ruisseau, *m.*, river, brook, stream.
ruse, *f.*, ruse, artifice.
rusé-e, shrewd, cunning.
Russie, *f.*, Russia.

S

sa, his, her, its.
sabre, *m.*, sabre, sword; **coup de —,** sabre-thrust, sword-thrust.

sac, ***m.*****,** bag; **la main dans le —,** in the act.
sac à main, *m.*, handbag.
sachant, *pres. part. of* **savoir.**
sache, *subj. of* **savoir.**
sachez, *imper. of* **savoir.**
sacrebleu! confound it!
sacrifier, to sacrifice.
saigner, to bleed.
sais, sait, *pres. of* **savoir.**
saisir, to understand, comprehend, seize.
sale, dirty, nasty.
salle, *f.*, large room.
salon, *m.*, drawing-room, parlor; — **d'attente,** anteroom.
saluer, to salute, bow to.
salut, *m.*, salute, bow.
sang, *m.*, blood, **bon** —! hang it all!
sang-froid, *m.*, cold blood, self-possession, coolness; **de —,** coolly, in cold blood.
sanglot, *m.*, sob.
sans, without; — **quoi,** otherwise, else.
santé, *f.*, health.
satisfaction, *f.*, satisfaction.
saucisson, *m.* sausage.
sauf, except.
sauter, to jump, leap; — **au cou,** to fling one's arms round someone's neck.
sautiller, to hop.
sauvage! the brute!
sauver, to save; **se —,** to run away, make off.
savez, *pres. of* **savoir.**
savoir, *irreg.*, to know.
scandalisé-e, shocked.
scélérat, *m.*, rascal.
scène, *f.*, scene; stage.
sculpter, to engrave.
sec, sèche, dry.
sèchement, dryly.
sécher, to dry, dry up.
secouer, to shake.
secours, *m.*, help; **au —!** help! help!
secret, *m.*, secret.
sécurité, *f.*, security, safety.
séditieux-se, seditious.
séduisant-e, attractive.
seize, sixteen.
selon, according to; — **vous,** according to your opinion.
sels, *m. plur.*, salts.
sembler, to seem; **faire semblant,** to pretend, feign.
sens, *m.*, sense; **à mon —,** in my opinion.
sensible, sensitive, sensible.
sentencieux-se, sententious.
sentier, *m.*, path.
sentiment, *m.*, sentiment.
sentinelle, *f.*, sentry.
sentir, to feel; endure, suffer; **se —,** to feel.
séparer (se), to part; **se — de,** part with.
sera, *fut. of* **être.**
sérieux-se, serious, dangerous.
seriez, *condit. of* **être.**
serment, *m.*, oath.
serpent, *m.*, snake.
serrer, to squeeze, press, wring; — **la main,** to shake hands.
serrure, *f.*, lock.
servante, *f.*, servant.
service, *m.*, service; **au — de,** in the service of; **être de —,** to be on duty.

servir, *irreg.*, to serve; **se — de,** to use.
serviteur, *m.*, servant.
ses (*plur.*), his, her, its.
seuil, *m.*, threshold.
seul-e, alone.
seulement, only.
si, if, whether; so; yes.
siège, *m.*, seat.
sifflement, *m.*, whistling, hissing.
sifflotement, *m.*, little whistling.
signal, *m.*, signal.
signaler, to call one's attention, signal, point out.
silence, *m.*, silence.
simplement, simply, absolutely.
simulacre, *m.*, sham; **faire le —,** to sham.
singe, *m.*, monkey.
singer, to ape, mimic, imitate.
singulier-ère, strange.
sinon, if not.
sire, *m.*, sire.
société, *f.*, company, society.
soi, self.
soigner, to look after, attend, nurse.
soigneusement, carefully.
soir, *m.*, evening.
soirée, *f.*, evening party.
soit, *pres. subj. of* **être.**
soit, granted, let it be so, agreed!
soixante, sixty.
soldat, *m.*, soldier.
soleil, *m.*, sun.
solide, strong.
sombre, worried, dark.
somme (en), on the whole, after all.
son, his, her, its.
songer, to think.
sonner, to ring.
sonnette, *f.*, bell.
sort, *m.*, fate, destiny.
sorte, *f.*, sort; **faire en — que,** do, act in such way as; **de — que,** so that.
sortie, *f.*, going out, coming out, exit; **— de bal,** opera cloak.
sortir, *irreg.*, to go out; **— de,** to come out of.
sou, *m.*, sou, cent, halfpenny.
souche, *f.*, log.
souci, *m.*, concern, care.
soucieux-se, worried, anxious.
soudain or **soudainement,** suddenly.
souffler, to blow.
soufflet, *m.*, slap.
souffrance, *f.*, suffering.
souffrir, *irreg.*, to suffer, endure.
soulagé-e, relieved, soothed.
soulager, to appease, soothe.
soulier, *m.*, shoe.
soumise, submitted.
soupçon, *m.*, suspicion.
soupçonner, to suspect.
soupçonneux-se, suspicious.
soupir, *m.*, sigh.
souplesse, *f.*, suppleness, flexibility.
sourdine, *f.*, sordine, mute.
souriant-e, smiling.
sourire, *m.*, smile.
sourire, *irreg.*, to smile; **se —,** to smile at each other.
souris, *f.*, mouse.
soustraire, to take away, remove.
soutenir, *irreg.*, to support, help.
souvenir, *m.*, recollection, memory.
souvenir de (se), to remember.
souverain, *m.*, sovereign.
spectre, *m.*, specter, ghost.

statuer, to decree, decide.
stentor, stentor; **une voix de —,** stentorian voice.
stupéfait-e, amazed, stupefied.
subitement, suddenly.
successeur, *m.*, successor.
suffire, *irreg.*, to suffice, be enough.
suffisant-e, sufficient.
suffoqué-e, choking.
suit, *pres. of* **suivre.**
suivant, according to.
suivante, *f.*, waiting-maid.
suivi de, followed by.
suivre, *irreg.*, to follow.
sujet, *m.*, subject; **au — de,** concerning, about.
superbe, wonderful.
supplier, to beseech.
supporter, to endure.
sur, on, upon.
sûr-e, sure, certain, safe, dependable, reliable; **bien** — *or* **pour —,** absolutely, surely, most certainly; **en lieu —,** in a safe place.
sûrement, surely, without any doubt.
sûreté, *f.*, safety.
surmonter, to surmount.
surpris-e, surprised, astonished; discovered.
sursautant, starting, jumping up.
sursauter, to jump, start.
surtout, especially, above all.
surveiller, to look after, to watch over.
style, *m.*, style; **meubles de —,** period furniture.
symbolisé-e, symbolized.
sympathie, *f.*, sympathy.

T

ta, your.
tabac, *m.*, tobacco.
tabatière, *f.*, snuffbox.
tableau, *m.*, scenery.
taire (se), *irreg.*, to hold one's tongue, be silent.
talus, *m.*, embankment.
tambour, *m.*, drum.
tandis que, while, whilst.
tanné-e, hard, tough; **cuir —,** tough hide, skin.
tant, so much or so many; — **pis,** so much the worse; never mind; — **que,** so long as.
tante, *f.*, aunt.
tapage, *m.*, row, racket.
tapisserie, *f.*, tapestry.
tard, late; **plus —,** later, later on.
tarder, to delay; **il me tarde de,** I am longing to.
tâter, to feel; **se —,** to feel.
te, you, to you, yourself, to yourself.
tellement, so, so much, in such manner.
témoin, *m.*, witness.
temps, *m.*, pause, time; weather; **à —,** in time; **de — en —,** from time to time; **tout le —,** all the time.
tendre, to hold out, hand over.
tendre, tender, loving.
tendresse, *f.*, tenderness.
tenez! here! you see! see! well!
tenir, to hold; be contained; to be wrapped up; — **à,** to care for, insist; — **garnison,** to be garrisoned; — **rigueur,** to keep a grudge; **se —,** to hold oneself, be held; **se — sur ses gardes,** to

be on one's guard; **se — tranquille,** to be, remain quiet.
tenons, *pres. and imper. of* **tenir.**
tentative, *f.*, attempt.
tenter, to try, attempt.
tenue, *f.*, deportment, bearing, carriage.
terminer (se), to end, close.
terrain, *m.*, ground.
terre, *f.*, earth, ground; **à —,** to the ground; **par —,** on the ground.
terriblement, terribly.
tertre, *m.*, knoll, eminence, hillock.
tes, *plur.*, your.
tête, *f.*, head; **faire une —,** to show great annoyance or displeasure.
tien-ne, yours.
tiens, *pres. of* **tenir.**
tiens! oh! well! hullo! indeed!
timide, timid, shy.
tirer, to shoot, pull, pull off, draw off.
tître, *m.*, title.
toilette, *f.*, dress; **en grande —,** in full dress.
toiser, to eye up and down.
toit, *m.*, roof; **— vitré,** glazed roof.
tolérer, to tolerate.
tomber, to fall.
ton, your.
ton, *m.*, tone.
tonner, to thunder.
tonnerre, *m.*, thunder; **nom de —!** *or* **— de Brest!** confound it!
tort, *m.*, wrong; **avoir —,** to be wrong.
tôt, soon; **pas trop —,** none too soon.
touché! a hit.
toucher, to touch; **— de près,** to be closely related, be intimate.
toujours, always, ever; all the same.
tour, *m.*, trick; round; **à — de bras,** with all one's might; **à son —,** his turn, in his turn; **faire le —,** to go round.
tourmenter, to torment, worry.
tourné-e, shaped, built; **il est assez bien —,** he is handsome, he does not look too badly.
tourner, to turn; **mal —,** to end badly, end in a disaster.
tout, all, whole, any, every, wholly, anything; **— à fait,** quite; **pas du —,** not at all; **— de suite,** at once; **— de même,** just the same; **— à l' heure,** just now, in a little while; a little while ago; **— en,** while; **— une histoire,** a whole story.
tout, *m.*, everything, everyone, whole.
toutefois, however, yet.
tracasser, to bother, worry.
tracé-e, indicated, planned, settled.
tracer, to trace, define, plan.
trait, *m.*, **d'un seul —** at one gulp.
train (en), on the verge, in the act.
trahir, to betray; **se —,** to betray oneself.
trahison, *f.*, treason.
traiter, to treat.
tramer (se), to plot, be hatched.
tranquille, quiet, not worrying; **je suis —,** I do not worry;

laisser —, to leave alone; rester —, to keep quiet; soyez —, do not worry.
tranquillement, quietly, gently.
transporter, to transport, take to.
travers, à —, across, through; **en —,** across; **se mettre en —,** to block; **de —,** *see* **regarder.**
traverser, to cross.
trembler, to tremble.
très, very, most, much.
trésor, *m.*, treasure.
tressaillement, *m.*, start.
tressaillir, *irreg.*, to start, be thrilled.
triste, sad.
trois, three.
tromper (se), to make a mistake.
trompette, *f.*, trumpet.
tronc, *m.*, stump.
trône, *m.*, throne.
trop, too, too much, too many.
troublé-e, agitated.
troubler, to trouble, bother, interfere; **se —,** to become confused, disturbed, agitated.
troupe, *f.*, troop; **enfant de —,** boy-soldier.
trottiner, to jog along.
trouver, to find; **se —,** to feel, be, happen to be; **se — mal,** to faint, swoon.
tuer, to kill.
tumulte, *m.*, noise, tumult.
tunique, *f.*, tunic.
turbulent, *m.*, turbulent.
tutoiement, *m.*, saying "thou" to a person.
tutoyer, to "thee" and "thou."
type, *m.*, fellow, type; **chic —,** fine fellow.

U

ultras, ultra-royalists.
un, a, an.
uni, united.
uniforme, *m.*, uniform.
union, *f.*, union, party.
unir, to unite, join.
urgent-e, urgent, pressing.
usage, *m.*, usage, use; **d' —,** customary.
user, to use, wear out.
usurpateur, *m.*, usurper.
utile, useful.

V

va, *pres. and imper. of* **aller.**
va!, *interj.*, come! go on!
vaguement, vaguely.
vais, *pres. of* **aller.**
valet de pied, *m.*, footman, lackey.
valeur, *f.*, value.
valoir, *irreg.*, to be worth, be equal to.
vaut, *pres. of* **valoir.**
veiller, to watch; **— à,** to see to it.
venir, *irreg.*, to come; **— de,** to have just.
vent, *m.*, wind.
véritable, real.
vérité, *f.*, truth; **en —, in truth,** really.
verrait, *condit. of* **voir.**
verre, *m.*, glass.
verrou, *m.*, bolt.
vers, toward.
verser, to pour out.
vert-e, green; **devenir —,** to turn livid (as a consequence of a violent emotion).

vestibule, *m.*, vestibule, hall.
veuillez, *imper. of* **vouloir,** kindly, please.
veulent, *pres. of* **vouloir.**
veut, veux, *pres. of* **vouloir.**
vicomte, *m.*, viscount.
vide, empty.
vie, *f.*, life; **à la —, à la mort.**
vieil, *see* **vieux.**
vieillesse, *f.*, old age.
vieillir, to grow old.
vient, *pres. of* **venir.**
vieux, vieil, vieille, old; **mon —,** old fellow, old chap; **ma vieille!** old witch!
vif-ve, lively; **de — force,** by main force.
vigoureusement, vigorously.
vilain-e, ugly, bad, naughty, silly.
village, *m.*, village.
ville, *f.*, city.
vingt, twenty.
visage, *m.*, face, countenance.
vis-à-vis, toward, opposite.
viser, to aim at; **bien visé!** a good shot.
visite, *f.*, visit; **rendre —** to pay a visit.
vite, quick, quickly, fast; **au plus —,** at once, as quickly as possible.
vitre, *f.*, pane.
vitré-e, glazed; **toit —,** glass roof.
vivacité, *f.*, vivacity.
vivant-e, alive.
vivement, quickly, eagerly, ardently, much.
vivre, *irreg.*, to live; **vive l'Empereur!** long live the Emperor!; **qui vive!** who goes there?
voici, here is, here are; **le —,** here he (or it) is.
voilà, there is, there are; **le —,** there he (or it) is.
voir, *irreg.*, to see; **se —,** to be seen.
voisin-e, neighboring, next, adjoining.
voiture, *f.*, carriage.
voix, *f.*, voice; **à mi- —, in a low** voice.
vol, *m.*, flight, theft.
voler, to steal, rob.
voleur, *m.*, thief.
volontairement, voluntarily.
volontiers, willingly; **bien —,** with pleasure.
voudra, *fut. of* **vouloir.**
voudrait, *condit. of* **vouloir.**
vouloir, to be willing, want; **— dire,** to mean; **en — à,** to have a grudge against.
voulu, *past part. of* **vouloir.**
vous, you, to you; **— -même,** yourself.
voyons, *imper. of* **voir.**
voyons!, now! now then!
vrai-e, true, real, really, indeed.
vraiment, really, indeed.
vrille, *f.*, gimlet.
vu, *past part. of* **voir.**
vue, *f.*, sight, view.

Y

Y, there, here, to it, by it, at it, in it, about it.
yeux, *plur. of* **œil,** eyes.